# LES ÉNIGMES
# DE SHÉHÉRAZADE

☽ ☆ ☉ ☆ ☽

Raymond Smullyan

# LES ÉNIGMES
# DE SHÉHÉRAZADE

OU COMMENT UNE MALICIEUSE PRINCESSE VIENT À BOUT
DE 200 QUESTIONS DE LOGIQUE ET DE MATHÉMATIQUE

☾ ☆ ☉ ☆ ☾

**Traduction de Willem van den Brul**

Titre original : *The Riddle of Scheherazade*
copyright © Raymond Smullyan, 1997
traduction publiée avec l'autorisation de A. Knopf, Inc.
édition française © Flammarion, 1998
ISBN : 2-0803-5564-3
Imprimé en France

# AVANT-PROPOS

Le Livre premier de ce volume commence là où Edgar Allan Poe terminait son admirable *Mille et Deuxième Conte de Shéhérazade*, dans lequel Poe donne du sort de Shéhérazade une image bien différente de celle des *Mille et Une Nuits* !

Personnellement, je lui ai réservé un sort encore meilleur et vous livre ici une série d'énigmes qui, je le pense, vous intriguera et vous amusera, et dont la fin nous amène tout naturellement au nouveau champ de la logique coercitive, qui introduit le Livre II.

Nous poursuivrons avec quelques nouveaux problèmes de logique, des tours et des jeux de logique, des problèmes gödéliens, et nous finirons par quelques paradoxes particulièrement étonnants !

Que soient une fois de plus remerciés mon éditeur, Ann Close, et l'éditeur de production, Melvin Rosenthal, pour leur aide éclairée.

Elka Park, New York
Septembre 1996

# LIVRE I

☆ ☽ ☆ ☉ ☆ ☽ ☆

# LA GRANDE
# QUESTION
# DE SHÉHÉRAZADE

# LA SOURCE

On se souvient comment, dans la version classique des *Mille et Une Nuits*, un monarque, convaincu de l'infidélité de son épouse, la fit mettre à mort et jura, par la barbe du Prophète, d'épouser chaque nuit la plus belle jeune fille de son royaume pour, le lendemain, la livrer au bourreau. Cette cruauté sans précédent sema panique et consternation dans la ville et, comme le roi persistait dans sa détermination, son peuple finit par maudire celui pour lequel il n'avait jusqu'alors eu que louanges et vénération.

La fille aînée du grand vizir, Shéhérazade, finit par apporter un heureux et subtil dénouement à cette situation. Épousant le roi contre l'avis pressant de son père, elle s'arrangea pour que sa sœur Dinarzade partage avec elle la chambre nuptiale. Peu avant l'aube, elle commença à lui conter une histoire merveilleuse en s'arrangeant pour que le roi l'entende. Lorsque vint l'heure de l'exécution, le monarque était si curieux de connaître la fin de l'histoire qu'il accorda à la condamnée un sursis de vingt-quatre heures.

La nuit suivante, Shéhérazade acheva son récit mais en commença un autre, qu'elle ne put terminer à temps, obligeant le roi à lui laisser un nouveau sursis jusqu'au lendemain. Il en fut ainsi pendant mille et une nuits, à la fin desquelles le souverain avait oublié son vœu, ou s'en considérait dégagé, tant et si bien qu'épargnant la vie de Shéhérazade, il mit fin à son féroce dessein.

Si l'on en croit Edgar Allan Poe, la fin de cette version des *Mille et Une Nuits* serait inexacte. C'est du moins ce qu'il explique dans son remarquable *Mille et Deuxième Conte de Shéhérazade* : « J'ai eu l'occasion, lors de récentes recherches orientalistes, de consulter le *Tellmenow Isitsöornot*, ouvrage peu connu, même en Europe, et qui, à ma connaissance, n'a jamais été cité par aucun auteur américain. Quel ne fut mon étonnement de découvrir que le monde littéraire avait jusqu'à présent vécu dans l'erreur quant au sort de la fille du vizir, Shéhérazade. Si le dénouement que nous connaissons n'est pas totalement inexact, on peut néanmoins lui reprocher de ne pas aller jusqu'à la fin de l'histoire. Pour plus d'informations sur cet intéressant sujet, je renvoie le lecteur curieux au *Isitsöornot*; entretemps, il voudra bien m'excuser de résumer ici de ce que j'ai découvert. »

Poe poursuit avec le récit de cette mille deuxième nuit : « Ma chère sœur, dit Shéhérazade, maintenant que cette charge odieuse a été si heureusement levée, je me sens coupable de ne pas t'avoir conté, ainsi qu'au roi, la fin de l'histoire de Sindbad dans sa totalité. » Elle enchaîna donc sur la description d'une suite de miracles – ou plutôt de ce qui passait alors pour des miracles et qui se révèlent de nos jours n'être que de simples vérités scientifiques –, par exemple des choses (la lumière) se déplaçant à la vitesse de trois cent mille kilomètres par seconde. Le roi, de plus en plus sceptique, finit par s'irriter et dit à Shéhérazade : « Arrête, c'en est trop, je n'en supporterai pas d'avantage. Tu m'as causé un terrible mal de tête avec tes mensonges. Le jour se lève, et à tout prendre, je préfère encore te voir étranglée. » Et c'est ainsi que la pauvre Shéhérazade fut finalement exécutée. Voilà pour la version du *Isitsöornot*.

Mais ce que son auteur, quel qu'il soit, et Edgar Allan Poe ignorent, c'est que, tout comme les *Mille et Une Nuits*, ce livre fascinant est dans l'erreur en ce qui concerne le sort de Shéhérazade ! J'ai eu la chance extraordinaire, en effet, de pouvoir consulter un autre ouvrage oriental. Le secret en est si bien préservé que j'ai dû jurer d'en taire le titre, mais je peux vous en révéler le sous-titre, « Une critique du *Isitsöornot* ». Cette source, de loin la plus fiable entre toutes, explique que tout ce que contient l'ouvrage précédent est exact, sauf la dernière phrase. Je suis à présent heureux de pouvoir vous révéler quel fut le véritable dénouement de ce récit. La vérité, plus étonnante que tout ce que l'on peut trouver dans les *Mille et Une Nuits* ou le *Isitsöornot*, nous révèle que Shéhérazade était d'une ingéniosité à faire pâlir d'envie les plus grands logiciens actuels !

Voici donc ce qui arriva réellement. Si le monarque dit effectivement, « A tout prendre, je préfère encore te voir étranglée », il s'entendit répondre par Shéhérazade : « Les désirs de Votre Majesté sont des ordres, mais cela me désole vraiment pour vous. »

« Pourquoi pour *moi* ? » demanda le roi.

— A cause des énigmes que je me proposais de soumettre à votre Majesté.

— Des énigmes ? dit le roi. J'adore les énigmes ! M'en proposeras-tu quelques-unes cette nuit si je sursois à ton exécution ?

— Je vous en raconterai toutes les nuits, aussi longtemps qu'il plaira à Votre Majesté de me laisser en vie », répondit Shéhérazade.

C'est ainsi que la mille troisième nuit fut la première d'une longue série de nuits consacrées aux énigmes dont la conclusion est encore plus étonnante que tout le reste de l'histoire ! La complexité croissante de ces énigmes, des plus simples et ingénieuses aux plus subtiles et compliquées, culmine avec la grande question de Shéhérazade, qui pourrait bien être le problème de logique le plus ardu de tous les temps !

Je vais maintenant vous relater les événements tels qu'ils sont rapportés dans mon ouvrage secret. Nombre d'énigmes – mais non les meilleures – nous sont déjà parvenues et ont acquis une certaine célébrité. Toutefois je les conserverai ici, notamment à l'intention des lecteurs qui ne les connaîtraient pas encore, et par fidélité à ma source, qui est sans conteste un document d'une grande importance historique et mérite d'être traité avec respect.

# OÙ L'ON APPREND COMMENT SHÉHÉRAZADE DIVERTIT LE ROI DURANT LA MILLE TROISIÈME NUIT

## I ☾ Qu'est-ce ?

« Bienveillant Souverain, commença Shéhérazade lors de cette nuit mémorable, voici une première énigme : qu'est-ce qui est plus grand qu'Allah et que mangent les morts, alors que les vivants meurent s'ils en font autant ? »

– Attends ! dit le roi, cette énigme n'a pas de réponse ! Rien n'est plus grand qu'Allah, ce serait blasphémer que de prétendre le contraire !

– Je ne blasphème point, répliqua Shéhérazade, et vous venez de résoudre l'énigme.

– Nom d'un narguilé, que veux-tu dire ? s'exclama le roi. »

Quelle est la solution à l'énigme de Shéhérazade ?

(Les réponses se trouvent à la fin de l'ouvrage, page 173 et suivantes.)

## 2 ☽ LES AMIS

« Voilà qui était bien trouvé, dit le roi après avoir entendu la réponse. Pose-moi une autre énigme.

— Avec plaisir, répondit Shéhérazade. Pensez-vous qu'il existe au moins deux Arabes possédant exactement le même nombre d'amis arabes ?

— Comment pourrais-je donc le savoir ?

— Je m'explique, dit Shéhérazade. J'utilise le mot *amis* dans son sens réciproque : Ali est l'ami d'Ahmed si Ahmed est aussi l'ami d'Ali. Il faut considérer que la relation d'amitié est symétrique. Je ne considère donc pas une personne comme étant sa propre amie.

— Ceci ne m'est d'aucune aide, dit le roi. Je n'ai toujours aucun moyen de connaître la réponse, ni toi d'ailleurs. Tout ce que je sais, c'est qu'il pourrait bien y avoir deux Arabes possédant le même nombre d'amis arabes. J'imagine qu'il en est probablement ainsi. Mais je suis incapable d'en estimer la probabilité – ce que tu n'es pas plus capable de faire que moi. »

Le roi se trompait car Shéhérazade le savait avec exactitude, et vous aussi… si vous résolvez cette énigme.

## 3 ☽ COMMENT FONT-ILS ?

« Parfait ! dit le roi après avoir entendu la solution. Raconte-m'en une autre.

— Très bien. Deux chameaux regardent dans des directions diamétralement opposées, l'un vers l'est, l'autre vers l'ouest. Comment peuvent-ils se voir sans marcher, sans se retourner, ni même bouger la tête ?

— Hum ! Je suppose que leurs images sont réfléchies.

— Non, dit Shéhérazade, ils sont au milieu du désert et il n'y a pas le moindre matériau réfléchissant à des kilomètres à la ronde.

— Hum » fit derechef le roi.

Alors, comment y parviennent-ils ?

## 4 ☽ ABDOUL LE JOAILLIER

« Habile ! dit le roi. Raconte-m'en une autre.

— Très bien, Noble Souverain, dit Shéhérazade. J'ai entendu dire qu'un jour un client est entré dans la boutique d'Abdoul le Joaillier pour lui acheter six chaînes, chacune composée de cinq maillons. Il voulait que ces six chaînes soient réunies en une seule, plus grande, et s'enquit du coût de la transformation. "Et bien, répondit le joaillier, pour chaque maillon que j'ouvrirai et refermerai, il vous en coûtera une pièce d'argent." La question, Votre Majesté, est : combien cette transformation nécessitera-t-elle de pièces d'argent ? »

Le roi donna une mauvaise réponse. Quelle est la bonne réponse?

## 5 🜨 LA SECONDE HISTOIRE D'ABDOUL LE JOAILLIER

« Celle-là aussi était bien trouvée! dit le roi après que Shéhérazade lui eut expliqué la solution. Raconte-m'en une autre!

— Une nuit, un voleur pénétra dans la boutique d'Abdoul.

— Il mériterait d'être écartelé! interrompit le roi.

— Vous avez tout à fait raison, Majesté, mais revenons à mon histoire. Le voleur eut la chance d'y trouver une multitude de diamants. Sa première pensée fut de les prendre tous, mais, pris de remords, il décida de se contenter de la moitié du butin.

— Hum! dit le roi.

— Il prit donc la moitié des diamants et s'apprêta à quitter la boutique.

— Oh!

— Mais il se dit : "Je vais en prendre un de plus", ce qu'il fit.

— Oh oh!

— Il quitta la boutique, emportant donc la moitié des diamants plus un.

— Et alors, qu'arriva-t-il? demanda le roi.

— Aussi étrange que cela puisse paraître, quelques minutes plus tard, un deuxième voleur entra dans la boutique et prit la moitié des diamants restants plus un. Puis ce fut le tour d'un troisième voleur, qui prit la moitié des diamants restants plus un. A son tour, un quatrième voleur entra et vola la moitié de ce qui restait plus un diamant. Le cinquième voleur ne prit rien car il ne restait plus aucun diamant.

– Mais alors, quel est le problème ? demanda le roi.

– Le problème, répondit Shéhérazade, est de savoir combien il y avait de diamants au départ.

– Et comment le saurai-je ?

– Il suffit de calculer » répondit-elle.

Alors, combien y avait-il de diamants ?

## 6 🌙 DEUX AUTRES VERSIONS

« Il existe deux autres versions de l'histoire, dit Shéhérazade. Selon une deuxième version, chacun des quatre premiers voleurs prit la moitié de ce qu'il avait trouvé, plus deux diamants au lieu d'un. Et cette fois encore, le cinquième voleur ne trouva rien. Selon cette version, combien y avait-il de diamants au départ ?

La troisième version est identique à la seconde, excepté que le cinquième voleur trouva un diamant. Si cette version est correcte, combien le premier voleur trouva-t-il de diamants ? »

## 7 🌙 ABDOUL ET LES DIX VOLEURS

« Une autre fois, continua Shéhérazade, dix voleurs pénétrèrent dans la boutique d'Abdoul. Certains étaient armés, d'autres pas. Ceux qui étaient armés occupaient une position plus élevée dans la hiérarchie des voleurs. Ensemble, ils volèrent un sac contenant cinquante-six perles. Au moment du partage, chacun des voleurs armés reçut six perles et chacun des autres, cinq. Combien de ces voleurs étaient-ils armés ? »

## 8 🌙 COMBIEN Y A-T-IL DE RUBIS ?

« En voici une plus heureuse pour Abdoul, dit Shéhérazade. Un jour, un homme proposa cinquante-neuf joyaux à Abdoul, des émeraudes et des rubis. Les

émeraudes étaient enveloppées dans des sacs, à raison de neuf par sac, plus quatre rubis. »
Combien y avait-il de rubis en tout ?

### 9 🌙 UNE ÉNIGME FACILE

« Pour une énigme assez facile, celle-ci n'était pas mal, dit le roi. Raconte-m'en une autre de cet acabit.
– Très bien. Qu'est-ce qui est plus grand, six douzaines de douzaines ou une demi-douzaine de douzaines ?
– Vraiment ? se fâcha le roi. Je ne t'en demandais pas une aussi facile. La réponse est si évidente. Me prends-tu pour un âne ? »
Quelle est la réponse ?

### 10 🌙 SINDBAD ET HINDBAD

« Essayez donc celle-ci, dit Shéhérazade. Il était une fois deux amis qui s'appelaient Sindbad et Hindbad.
– Fais-tu allusion à Sindbad le Marin ? demanda le roi.
– Pas nécessairement. Ils possédaient chacun le même nombre de chevaux. Combien Sindbad aurait-il dû en donner à Hindbad pour que ce dernier en ait six de plus que lui ?
– Voilà qui est évident ! »
Quelle est la réponse ?

### 11 🌙 SINDBAD

« La suivante parle de Sindbad le Marin, dit Shéhérazade. Une échelle à six barreaux pendait le long du bord d'un des bateaux que Sindbad avait empruntés. Les barreaux étaient espacés d'un pied. A marée basse, l'eau arrivait au deuxième barreau en partant du bas. Elle monta de deux pieds. Quel barreau l'eau atteignait-elle alors ?
– Le quatrième depuis le bas, évidemment ! Pourquoi me poses-tu des énigmes aussi ridiculement simples ? »
Êtes-vous d'accord avec sa réponse ?

## 12 🌙 COMBIEN Y A-T-IL DE PONEYS?

« Voici un petit problème d'arithmétique, dit Shéhérazade. Un cheikh possédait de nombreux poneys. Un jour qu'on lui demandait combien il en avait, il répondit : "Si vous ajoutez un quart de ce nombre au tiers de ce nombre, vous en aurez dix de plus que la moitié de ce nombre." Combien de poneys avait-il ? »

## 13 🌙 LE PONEY PERDU

« Pas mal, dit le roi. Raconte-m'en une autre.
– Fort bien. Un jour, l'un de ses plus petits poneys se perdit dans le désert pendant cinq jours. Il parcourut une certaine distance le premier jour, puis accrut cette distance d'un mille par jour. À la fin du cinquième jour, il rentra exténué, ayant au total parcouru cinquante-cinq milles. Combien de milles parcourut-il le dernier jour ? »

## 14 🌙 L'ARBRE MAGIQUE

« Essayez de répondre à celle-ci : un arbre double sa hauteur chaque jour.
– Comment espères-tu me faire croire cela ? demanda le roi.
– Il s'agit bien sûr d'un arbre magique, répondit Shéhérazade.
– Oh, dans ce cas…
– Cent jours lui sont nécessaires pour atteindre sa taille définitive. Combien de jours lui faut-il pour atteindre la moitié de cette taille ?
– De toute évidence, cinquante jours » répondit le roi. Avait-il bien raison ?

## 15 🌙 UN AUTRE ARBRE MAGIQUE

« En voici une plus intéressante, dit Shéhérazade. Il était une fois un arbre magique dont la taille augmenta de moitié le premier jour, du tiers le deuxième jour, du quart le troisième, et ainsi de suite. Combien de jours lui fallut-il pour atteindre cent fois sa taille de départ ?

– Très bien, dit le roi, mais c'est assez pour cette nuit.
L'aube approche et il me faut dormir. M'en raconteras-
tu d'autres la nuit prochaine si je sursois à ton exécu-
tion ?
– Avec plaisir », répondit Shéhérazade.
Nous voici donc arrivés à la nuit suivante…

# OÙ L'ON RELATE COMMENT SHÉHÉRAZADE DIVERTIT LE ROI DURANT LA MILLE QUATRIÈME NUIT

Cette nuit-là, Shéhérazade était d'humeur facétieuse.

« Avant de vous raconter d'autres énigmes, dit-elle, Votre Grandeur aimerait-elle entendre une histoire drôle ?

– Pourquoi pas ?

– Karim le Bûcheron se présenta un jour sur une exploitation forestière pour trouver du travail. "Nous sommes ici pour abattre des arbres" lui dit le contremaître. "C'est mon métier", répondit Karim. "Ah ? dit le contremaître. Voyons ce que tu sais faire. Voici une hache. Nous allons voir combien de temps il te faut pour abattre cet arbre." Il ne fallut pas plus de trois coups à Karim pour couper l'arbre.

"Remarquable, dit le contremaître. Voyons maintenant en combien de temps tu coucheras le bel arbre que tu vois là."

En deux coups celui-là aussi fut abattu.

"Fantastique ! dit le contremaître. Il va sans dire que tu es engagé. Mais, dis-moi, où as-tu appris à travailler ainsi ?"

"Oh, répondit Karim. J'ai pas mal travaillé dans la forêt du Sahara."
— Une seconde, dit le roi. Tu veux dire le désert du Sahara ?
— C'est exactement ce que lui dit le contremaître : "Tu veux dire le désert du Sahara, n'est-ce pas ?"
"Ouais, répondit le bûcheron, c'est ainsi qu'ils l'appellent maintenant."
— Pas mal, s'esclaffa le roi. Et maintenant, une énigme ! »

### 16 🌙 LES CHEVAUX D'HASSAN

« Très bien, dit Shéhérazade. Un cheikh du nom de Hassan possédait huit chevaux. Quatre d'entre eux étaient blancs, trois étaient noirs et le dernier brun. Parmi ces huit chevaux, combien peuvent dire qu'ils sont de la même couleur qu'un autre cheval d'Hassan ? »

### 17 🌙 COMBIEN CELA FAIT-IL ?

« Et celle-ci : combien font un million divisé par un quart, plus cinquante ? »

### 18 🌙 ENCORE LES CHEVAUX D'HASSAN

« Dans l'énigme des chevaux d'Hassan, dit Shéhérazade, si j'avais précisé que ces chevaux pouvaient tous parler, sept aurait-elle été la bonne réponse ?
— Oui, ça l'aurait été.
— Je ne pense pas. »
Qui a raison, et pourquoi ?

### 19 🌙 LA MULE D'HASSAN

« Finies les astuces stupides, s'écria le roi. Propose-m'en une véritable !
— D'accord. Hassan possédait également une mule. Un jour qu'on lui demandait l'âge de sa mule, il répondit par une énigme. "Dans quatre ans, elle sera trois fois plus âgée qu'elle ne l'était il y a quatre ans." Quel était donc l'âge de la mule ? »

### 20 ⟩ LA COULEUR DE LA MULE

« Poursuivons avec Hassan. Un jour, rencontrant trois garçons, il leur parla de sa mule. "De quelle couleur est-elle?" demanda le premier.

"Jouons aux devinettes, répondit Hassan. Je peux vous dire qu'elle est ou bien brune ou bien noire ou bien grise. Essayez de deviner sa couleur. Quand chacun de vous aura essayé, je vous donnerai mon avis sur vos suppositions et nous verrons qui peut en déduire sa couleur."

"Je parie qu'elle n'est pas noire", dit le premier.

"Je parie qu'elle est brune ou grise", dit le second.

"Je parie qu'elle est brune", dit le troisième.

"C'est bon! dit Hassan. Il se trouve qu'au moins l'un de vous a trouvé la réponse et qu'au moins l'un de vous s'est trompé."

Quelle est la couleur de la mule d'Hassan? »

### 21 ⟩ LES CHAMEAUX D'HASSAN

« Bien, dit le roi. Raconte-m'en une autre.
— Fort bien, dit Shéhérazade. Hassan possédait également huit chameaux. En un mois, tous sauf cinq périrent. Combien en restait-il?
— De toute évidence trois. N'importe quel cancre aurait trouvé la réponse! »

Je ne saurai qu'approuver la dernière affirmation du roi. Et vous? Dans le cas contraire, voyez pourquoi à la page des solutions.

### 22 ⟩ COMBIEN A-T-IL D'ÉPOUSES?

« Assez d'astuces! dit le roi d'un ton sévère. Raconte-moi une véritable énigme.
— Très bien, répondit Shéhérazade en riant. En voici une véritable, bien que fort simple. Un homme avait une épouse de moins que son frère aîné. Celui-ci en avait une de moins que leur oncle. Et ce dernier en avait deux fois plus que le plus jeune des frères. Combien d'épouses chacun de ces hommes avait-il? »

### 23 🌙 QUELLE EST LA TAILLE DE LA PLANTE ?

« Voilà qui était en effet très simple, dit le roi. Propose-m'en une autre.

— Très bien. Si une plante mesure trois pieds de plus que sa taille réelle, elle est deux fois plus grande que si elle faisait un demi-pied de moins. Quelle est sa taille réelle ? »

### 24 🌙 QUELLE EST LA TAILLE DE CES FLEURS ?

« Une autre, dit le roi.

— Soient deux fleurs, une rouge et une bleue. La rouge mesure sept pouces de plus que la bleue. Si elle faisait quatre pouces de moins, elle serait deux fois plus grande que la bleue. Quelle est la taille de chacune des fleurs ? »

### 25 🌙 QUELLE EST LA DISTANCE ?

« Continue, dit le roi.

— Un jour, un chat partit de chez lui, à une vitesse de trois milles à l'heure. Se rendant soudain compte qu'il était temps de manger, il revint en trottinant deux fois plus vite. En tout, il s'était absenté un quart d'heure. Quelle distance avait-il parcouru ? »

### 26 🌙 COMBIEN Y A-T-IL DE SOURIS ?

« Une autre, demanda le roi.

— Fort bien. Ce même chat était un très bon chasseur de souris. Le premier jour, il attrapa le tiers des souris. Le lendemain, il mit la patte sur le tiers des souris restantes et fit de même le troisième jour. Le quatrième jour, il coinça les huit dernières souris. Combien de souris y avait-il au départ ? »

### 27 🌙 ALI ET SES PETITS COMPAGNONS

« Poursuis, dit le roi.

– D'accord. Un garçon dénommé Ali possédait chats et chiens et plus de chats que de chiens. Un jour, un méchant magicien survola sa maison et...

– Attends une minute, l'interrompit le roi (qui était un homme de bon sens). Je ne savais pas que les magiciens pouvaient voler !

– La plupart en sont incapables, répondit Shéhérazade, mais celui-ci le pouvait.

– Mais comment le pouvait-il ? demanda le roi.

– Parce que c'était un magicien volant.

– Ah, voilà qui explique tout. Continue !

– Le méchant magicien survola la maison et, par magie, transforma l'un des chats en chien. Imaginez la surprise d'Ali quand il se réveilla le lendemain et découvrit qu'il avait maintenant autant de chats que de chiens ! La nuit suivante, un bon magicien survola la maison et transforma à nouveau le chien en chat. Quand Ali se réveilla, les choses étaient rentrées dans l'ordre. Mais la troisième nuit, un autre méchant magicien volant rechangea l'un des chiens en chat. Au matin, lorsque Ali se réveilla, quelle ne fut pas sa surprise de constater qu'il possédait maintenant deux fois plus de chats que de chiens ! Combien de chats et de chiens Ali avait-il avant toutes ces transformations ? »

## 28 🜪 LA SAGESSE DE HAROUN EL-RACHID

« J'ai bien aimé celle-là, dit le roi. Raconte-m'en une autre.

– Voilà : en vieillissant Ali, devenu croyant et dévot, partit avec son ami Ahmed en pèlerinage à La Mecque. Ils s'arrêtèrent un jour dans un petit village pour déjeuner. Ahmed possédait cinq miches de pain, Ali n'en avait que trois. Alors qu'ils allaient commencer leur repas, un étranger s'approcha et leur dit qu'il n'avait pas de nourriture sur lui, mais qu'en revanche, il avait beaucoup d'argent. Il demanda à partager leur repas. Nos deux voyageurs acceptèrent et les huit miches de pain furent équitablement partagées entre les trois hommes. Après le repas, l'étranger les remercia, posa devant eux huit pièces d'égale valeur et partit.

Ali et Ahmed devaient maintenant résoudre le problème du partage équitable des huit pièces. Ahmed proposa d'en prendre cinq et d'en laisser trois à Ali, puisque ce dernier avait contribué de trois miches et lui de cinq.

– Voilà qui me semble tout à fait juste, dit le roi.

– Ce n'était pas l'avis d'Ali. Il lui semblait que ce à quoi il avait droit était compris entre trois et quatre pièces, tout en admettant qu'il ne connaissait pas le nombre exact. Comme ils n'arrivaient pas à résoudre seuls ce problème, ils consultèrent le wali qui fut tout aussi incapable de trouver la solution.

"Allez soumettre le problème au kazi, leur suggéra-t-il. Il devrait pouvoir vous aider."

Ils allèrent donc voir le kazi.

"Juste ciel, s'exclama le kazi, Ebeneze le Magicien lui-même ne pourrait vous donner la solution ! Il faut soumettre ce problème au Commandeur des croyants en personne !"

Haroun El-Rachid jugea donc l'affaire, entouré d'une foule impatiente d'en connaître le verdict. A l'étonnement d'Ali, d'Ahmed et de toutes les personnes présentes, le calife dit : "Que l'homme qui avait cinq miches de pain prenne sept pièces et que celui qui n'en avait que trois en prenne une. Affaire classée."

Comment Haroun a-t-il fait pour trouver ces nombres ? »

## 29 🌙 LA SUITE DE L'HISTOIRE

« Quelque temps plus tard, poursuivit Shéhérazade, Ali et Ahmed, lors d'un autre pèlerinage, s'arrêtèrent dans un village pour manger et rencontrèrent un autre étranger qui, possédant lui aussi de l'argent mais pas de nourriture, demanda également à partager leur repas. Cette fois, Ali avait trois miches et Ahmed deux, mais ces miches étaient plus grosses que celles de l'épisode précédent. Les cinq miches furent partagées équitablement entre les trois hommes. L'étranger posa dix pièces d'égale valeur et partit. Comment les pièces devaient-elles être partagées cette fois-ci ? »

« Très bien, dit le roi, mais je suggère que maintenant nous dormions un peu. Si je t'accorde encore un sursis, me raconteras-tu d'autres énigmes la nuit prochaine ?

– Avec plaisir, répondit Shéhérazade.

Ce qui nous amène à la nuit suivante…

# LA MILLE CINQUIÈME NUIT, DURANT LAQUELLE SHÉHÉRAZADE RACONTA D'ANCIENNES ÉNIGMES

### UNE EXPÉDITION DE CHASSE

« Ce soir, dit Shéhérazade, j'aimerais commencer par quelques vieilles énigmes qui nous viennent d'un pays occidental (probablement de l'Angleterre). Un jour, un roi qui adorait la chasse partit en expédition avec vingt-quatre chevaliers. Ils séjournèrent plusieurs nuits dans un des relais de chasse que le roi possédait dans la forêt. Cette maison comportait neuf pièces. Le roi dormait dans la chambre centrale et les vingt-quatre chevaliers qui devaient assurer sa protection prenaient place de façon à toujours être neuf sur chaque côté du bâtiment. Ils étaient placés de la manière suivante… » Arrivée à ce stade de l'histoire, Shéhérazade traça le dessin suivant :

| 3 | 3 | 3 |
|---|---|---|
| 3 | le roi | 3 |
| 3 | 3 | 3 |

« Les chevaliers demandèrent s'ils étaient autorisés à se réunir durant les soirées pour des jeux et des joutes, ce qui fut accepté, à la condition expresse qu'il y ait toujours neuf chevaliers sur chaque côté du bâtiment. »

### 30 🌙 LA PREMIÈRE NUIT

« La première nuit, avant de se retirer, le roi fit la tournée du pavillon afin de compter les chevaliers présents de chaque côté et de contrôler si ses ordres avaient été bien suivis et si aucun de ses chevaliers n'était parti pour le village situé non loin de là. Il en trouva bien neuf de chaque côté et alla se coucher rassuré.

Mais les chevaliers lui avaient joué un tour! En réalité, quatre d'entre eux étaient partis au village, mais les chevaliers restants, par une subtile disposition, étaient parvenus à maintenir neuf chevaliers sur chaque côté du pavillon. Comment y étaient-ils parvenus? »

### 31 🌙 LA DEUXIÈME NUIT

« La deuxième nuit, au lieu que les chevaliers aillent au village, quatre villageois de leurs amis vinrent au pavillon de chasse déguisés en chevaliers, ce qui était contraire aux règles. Mais lorsque le roi fit sa tournée, il pensa que tout allait bien car il ne trouva que neuf personnes sur chaque côté du bâtiment. Comment avaient-ils fait? »

### 32 🌙 LA TROISIÈME NUIT

« La troisième nuit, huit visiteurs vinrent au pavillon, si bien qu'on dénombrait maintenant trente-deux hommes, plus le roi. Or ce dernier, trouvant toujours neuf hommes sur chaque côté, ne remarqua pas les nouveaux venus. Comment cela a-t-il été possible? »

### 33 🌙 LA QUATRIÈME NUIT

« Les chevaliers prenaient un tel plaisir à jouer des tours au roi que la nuit suivante, ils ne reçurent pas huit visiteurs, mais douze! Les trente-six hommes se placèrent de façon à tromper le roi une nouvelle fois. Comment y sont-ils parvenus ? »

### 34 ⟨⟩ LA CINQUIÈME NUIT

« La cinquième et dernière nuit, au lieu d'inviter leurs amis, les chevaliers s'arrangèrent pour que six d'entre eux puissent se rendre au village mais qu'il y ait toujours neuf hommes disposés sur chaque côté du pavillon. Comment ont-ils fait ? »

### 35 ⟨⟩ UNE TRÈS ANCIENNE ÉNIGME

« Voilà qui m'a plu, dit le roi. Raconte-m'en d'autres.
— En voici une très ancienne d'origine grecque, dit Shéhérazade. Elle nous vient d'un certain Métrodore et date de 310 avant Jésus-Christ. Démochares a été un enfant pendant un quart de sa vie, un jeune homme pendant un cinquième, un chef de famille pendant un tiers puis a vécu encore treize ans. Quel âge cela lui fait-t-il ? »

### 36 ⟨⟩ UNE AUTRE ÉNIGME, ELLE AUSSI TRÈS ANCIENNE

« Une autre énigme également très ancienne nous parle d'un homme qui disait : "Si je devais donner sept pièces à chaque mendiant qui se présente à ma porte, il me resterait vingt-quatre pièces. Il m'en manquerait trente-deux pour pouvoir en distribuer neuf à chacun." Combien y avait-il de mendiants et combien notre homme possédait-il de pièces ? »

### 37 ⟨⟩ L'ÉNIGME D'AAHMÈS

« Quelle est la plus ancienne énigme que tu connaisses ? demanda le roi.
— La plus ancienne, répondit Shéhérazade, nous vient d'un papyrus égyptien vieux de plusieurs milliers d'années (dans notre calendrier occidental, ce papyrus est approximativement daté de 1500 ans avant Jésus-Christ), curieusement intitulé *Instructions pour connaître toutes les choses obscures*.

« Pourquoi les choses *obscures*? demanda le roi.

– Je n'en ai aucune idée. Quoi qu'il en soit, l'auteur était un prêtre du nom d'Aahmès et ses énigmes étaient essentiellement d'ordre arithmétique. Celle que je vais vous proposer a surtout un intérêt historique, car elle est vraiment très simple.

– Quelle est-elle?

– Tout simplement : trouvez un nombre qui, additionné au septième de sa valeur, soit égal à dix-neuf. »

### 38  🌙  UN PROBLÈME HINDOU

« C'était vraiment trop simple. Propose-m'en une autre, moins facile cette fois.

– D'accord, dit Shéhérazade, en voici une qui sera sans doute moins simple. Il s'agit encore d'une énigme très ancienne, attribuée à un célèbre mathématicien hindou : "Jolie jeune fille au regard radieux, dis-moi quel est le nombre qui, multiplié par 3, puis augmenté des trois quarts du produit, puis divisé par 7, puis diminué du tiers du quotient, puis multiplié par lui-même, puis diminué de 52, dont on aura extrait la racine carrée, et qu'on aura ensuite augmenté de 8, puis divisé par 10, donne le nombre 2?"

– Vraiment! Comment crois-tu que je puisse résoudre quelque chose d'aussi compliqué?

– C'est pourtant très simple, si vous le prenez dans le bon sens », dit Shéhérazade.

Comment faut-il s'y prendre?

### 39  🌙  L'ESSAIM D'ABEILLES

« En voici une autre de ce mathématicien hindou, belle illustration de la façon toute poétique dont ce peuple façonne ses énigmes, dit Shéhérazade. Traduite dans notre langue, voici ce qu'elle donne : « La racine carrée de la moitié des abeilles d'un essaim s'est abattue sur un buisson de jasmin; les huit neuvièmes de l'essaim sont restés à la ruche; une abeille femelle vole autour d'un mâle qui bourdonne à l'intérieur de la fleur de lotus dont la douce senteur l'avait attiré cette nuit et le retient maintenant prisonnier. Dites-moi combien il y a d'abeilles dans cet essaim. »

### 40 🐝 ENCORE UNE HISTOIRE D'ABEILLES

« A propos d'abeilles, dit Shéhérazade, je me souviens d'une autre énigme : dans un essaim, un cinquième des abeilles part vers un buisson de roses ; un tiers vole vers un chèvrefeuille ; la triple différence entre ces deux nombres choisit des boutons d'or, les marguerites n'attirant qu'une seule abeille. Combien y a-t-il d'abeilles dans l'essaim ? »

### 41 🐝 DEUX COMPTES RENDUS

« Voici une autre énigme à propos d'abeilles, qui est la combinaison de deux anciennes énigmes.
Par une belle journée ensoleillée, deux garçons, passionnés l'un comme l'autre par l'observation des insectes, regardent les abeilles butiner dans un jardin botanique. Chacun fait un compte rendu de ses observations. Le premier rapport indique que, parmi les abeilles, quatorze sont jaunes et que les autres sont brunes. Douze des abeilles sont des mâles. Treize sont grandes et les autres petites. Parmi les jaunes, quatre sont grandes, cinq sont des mâles et trois des mâles sont grands. Une seule abeille est à la fois grande, mâle et jaune et toutes les abeilles possèdent au moins une de ces caractéristiques.
Le second rapport est totalement différent. D'après lui, la moitié des abeilles est attirée par le trèfle, un quart l'est par les pissenlits, un septième semble préférer les hyacinthes et les trois abeilles restantes vont et viennent, ne semblant pas avoir de fleur de prédilection.
La question, Noble Roi, est de savoir si ces rapports sont dignes de foi, et dans le cas contraire, lequel des deux (ou les deux) ne l'est pas ? En outre, d'après vous, ces comptes rendus concordent-ils ?
– Hum », fit le roi.
Qu'en pensez-vous ?

# LA MILLE SIXIÈME NUIT, AU COURS DE LAQUELLE SHÉHÉRAZADE PROPOSE AU ROI DES PROBLÈMES DE PROBABILITÉS

## 42 🌙 LES TROIS COMMODES

Shéhérazade commença ainsi : « Noble Roi, Abdoul le Joaillier possédait trois commodes à tiroirs ; chaque commode avait deux tiroirs. Dans l'une des commodes, chaque tiroir contenait un rubis, dans une autre c'est une émeraude qu'on trouvait à chaque fois, et, en ouvrant ceux de la troisième, on découvrait un rubis dans l'un de ses tiroirs, une émeraude dans l'autre. Supposons que vous choisissiez l'une de ces commodes au hasard, que vous ouvriez l'un des tiroirs et que vous y trouviez un rubis. Quelle est la probabilité pour que l'autre tiroir contienne également un rubis ?

– Laisse-moi réfléchir, dit le roi. Les chances sont de cinquante pour cent.

– Pourquoi ?

– Parce qu'une fois que tu as ouvert un tiroir et trouvé un rubis, la commode contenant les deux émeraudes étant éliminée d'office, tu as donc affaire ou bien à la commode mixte ou bien à la commode aux deux rubis, et les chances sont égales. »
Le roi avait-il raison ?

## 43 🌙 LES DIX COMMODES

Il fallut un certain temps à Shéhérazade pour convaincre le roi que la bonne réponse à ce dernier problème n'était pas celle qu'il croyait, mais elle y parvint.
« J'ai pensé à un problème similaire, dit Shéhérazade. Supposons qu'il y ait maintenant dix commodes au lieu de trois et que chacune soit dotée de trois tiroirs. Chacun de ces trente tiroirs contiendrait un diamant ou une émeraude ou encore un rubis. Les pierres seraient disposées de la manière suivante :

|   |       |     |        |
|---|-------|-----|--------|
| 1.| $DDD$ | 6.  | $DRR$  |
| 2.| $DDE$ | 7.  | $EER$  |
| 3.| $DDR$ | 8.  | $ERR$  |
| 4.| $DEE$ | 9.  | $EEE$  |
| 5.| $DER$ | 10. | $RRR$  |

(Vous vous en doutez, $D$ représente un diamant, $E$ une émeraude et $R$ un rubis ; par exemple, la commode 4 contient un diamant et deux émeraudes, la commode 7 deux émeraudes et un rubis ; il y a donc dix joyaux de chaque sorte, distribués de dix manières possibles.)
Vous ouvrez l'un des trente tiroirs au hasard et trouvez un diamant. Puis vous ouvrez un autre tiroir de la même commode. Quelle est la probabilité pour qu'il contienne également un diamant ? »

## 44 🌙 DEUX VARIANTES DE L'HISTOIRE

« Voici une variante du problème. Reprenons ces mêmes dix commodes. Vous ouvrez un tiroir et trouvez un diamant. Mais cette fois, vous pouvez soit ouvrir un second tiroir de la même commode, soit ouvrir n'importe quel tiroir des neuf autres commodes. Et si vous trouvez un diamant, vous pourrez le conserver. Choisiriez-vous un tiroir de la même commode ou celui d'une autre ?

Et voici une seconde variante : après avoir trouvé un premier diamant, on enlève les quatre dernières commodes, en vous informant qu'elles ne contiennent pas de diamant. Vous savez donc qu'il ne reste que les six premières commodes. Vous avez maintenant le choix entre ouvrir un tiroir de la même commode ou ouvrir celui d'une des cinq autres. Que feriez-vous ? »

## 45 ☽ LES CHATS

« En voici une autre, dit Shéhérazade. Un homme possède deux chats, dont au moins l'un est un mâle. Quelle est la probabilité pour qu'ils soient tous les deux mâles ?

– C'est évident ! » se gaussa le roi.

Quelle est la réponse ?

## 46 ☽ ENCORE DES CHATS

« Une autre. Un homme possède deux chats, un blanc et un noir. Le chat noir est un mâle. Quelle est la probabilité pour que tous les deux soient mâles ?

– De toute évidence, la réponse est la même que pour le problème précédent. La couleur n'y change rien ! »

Le roi avait-il raison ?

## 47 ☽ UN FAIT SURPRENANT

« En voici un particulièrement intéressant, enchaîna Shéhérazade. Ali et son ami Ahmed décident de jouer au jeu suivant : Ali lance une pièce. Si elle tombe sur face, Ahmed doit lui donner deux pièces d'argent ; si elle tombe sur pile, Ali doit relancer la pièce. Si alors elle tombe sur face, Ahmed lui doit quatre pièces d'argent, mais si elle tombe à nouveau sur pile, Ali doit rejouer. Si la pièce retombe sur face, Ahmed lui doit huit pièces, mais si elle retombe sur pile, Ali doit rejouer, et ainsi de suite. En d'autres termes, Ali lancera la pièce autant de fois qu'il le faudra pour qu'elle tombe une fois sur face. Ahmed devra alors lui payer $2n$ pièces d'argent, $n$ repré-

sentant le nombre de lancers de la pièce. Noble Souverain, combien Ali devrait-il donner d'avance à Ahmed pour que la partie soit équitable ? En d'autres termes, à combien peut-on estimer la valeur de la partie ?
— Comment pourrais-je le savoir ? dit le roi. J'imagine que ce doit être de l'ordre de cent pièces. Ai-je raison ? » Le lecteur qui ne connaît pas ce problème (parvenu jusqu'à nous sous le nom de « Paradoxe de Saint-Pétersbourg ») sera probablement surpris par sa solution.

### 48 ☽ UN PROBLÈME DISCUTABLE

« Voilà qui était surprenant ! dit le roi après que Shéhérazade lui eut expliqué la solution. Raconte-m'en encore une.
— Voici l'une de mes préférées, une de celles qui engendrent toujours des discussions. Supposons que je vous montre trois boîtes marquées A, B et C. L'une contient une récompense, les deux autres sont vides. Je sais quelle boîte contient la récompense, pas vous. Vous prenez l'une des boîtes au hasard, mettons la boîte A. Mais avant que vous ne l'ouvriez, j'ouvre l'une des deux autres boîtes que je sais vide, disons la boîte B, et je vous montre qu'elle est vide. Je vous laisse alors le choix entre prendre le contenu de la boîte A ou l'échanger contre celui de la boîte C. En termes de probabilité, avez-vous intérêt à faire l'échange ?
— Certainement pas. Avant que tu m'aies montré la boîte vide, il y avait une chance sur trois pour que la boîte A soit la bonne. Sachant maintenant que B est vide, les chances pour que la récompense se trouve dans A ou C sont égales. Cela ne change donc rien que je fasse l'échange ou non.
— Mais j'ai *délibérément* ouvert une boîte que je savais vide.
— Je ne vois pas ce que cela change.
— Cela fait pourtant une différence.
— Ce n'est pas possible ! affirma le roi.
— Oh que si ! », insista Shéhérazade.
Qui a raison et pourquoi ?

Ils discutèrent ainsi un long moment, Shéhérazade donnant ses arguments et le roi avançant les siens. Celui-ci finit cependant par jeter l'éponge, soit qu'il ait compris... ou simplement qu'il fût fatigué. Quoi qu'il en soit, il accorda fort heureusement une nouvelle journée de répit à Shéhérazade. Ce qui nous amène à la nuit suivante.

# LA MILLE SEPTIÈME NUIT, DURANT LAQUELLE SHÉHÉRAZADE RACONTE LES EXPLOITS DES QUARANTE VOLEURS D'ALI BABA

## 49 ABDOUL, À NOUVEAU VICTIME DES VOLEURS

Shéhérazade commença ainsi : « Il m'a été raconté, Bienveillant Souverain, qu'un jour, l'un des célèbres quarante voleurs d'Ali Baba cambriola la boutique d'Abdoul et lui déroba plusieurs diamants. On retrouva heureusement tous les diamants et on put même déterminer que le voleur était ou Sabit, ou Salim, ou encore Shamhir, trois voleurs de la fameuse bande. Lors du procès, les trois hommes s'accusèrent mutuellement, mais Shamhir fut le seul à mentir. Était-il obligatoirement le coupable ? – Pas nécessairement, répondit le roi. Un homme innocent pourrait mentir pour protéger un ami. »
Shamhir était-il le coupable ?

### 50 ☾ UN AUTRE CAMBRIOLAGE

« Une fois encore, la boutique d'Abdoul fut la cible des voleurs, mais le butin fut récupéré. On trouva à nouveau trois suspects : Abou, Ibn et Hasib. Voici les dépositions qu'ils firent au procès :

> Abou : "Je n'ai pas commis ce cambriolage !"
> Ibn : "Ce n'est certainement pas Hasib !"
> Hasib : "Si, c'est moi !"

Par la suite, deux d'entre eux confessèrent avoir menti. Qui a commis le cambriolage ? »

### 51 ☾ ENCORE UN CAMBRIOLAGE

« Peu de temps après, il y eut un nouveau cambriolage et les mêmes suspects, Abou, Ibn et Hasib, furent jugés. Voici ce qu'ils déclarèrent :

> Ibn : "Hasib n'a pas commis ce cambriolage."
> Hasib : "C'est vrai."
> Abou : "Ibn est innocent."

Assez curieusement, le vrai coupable avait dit la vérité, mais tous n'en avaient pas fait autant. Qui était le coupable ? »

### 52 ☾ ENCORE UN AUTRE

« Une fois encore, Abou, Ibn et Hasib passèrent en jugement. On savait que seul l'un d'eux était coupable. Abou clama son innocence ; Ibn reconnut qu'Abou était innocent et Hasib avoua sa culpabilité. Il s'avéra que le coupable mentait. Qui était-ce ? »

### 53 ☾ ET UN AUTRE...

« Encore un cambriolage chez le pauvre Abdoul ! Cette fois, l'un des quarante voleurs subtilisa un tiers des émeraudes du joaillier. Survint un second voleur qui prit les deux tiers des émeraudes restantes. Il n'en restait alors plus que douze. Combien le premier voleur en avait-il trouvées ? »

## 54 🌙 UN VOL HYPOTHÉTIQUE

« Peu de temps après, continua Shéhérazade, Abdoul reconstitua son stock d'émeraudes. Il emmagasina également de bonnes quantités de diamants, de saphirs et de rubis. Pendant quelque temps, il s'en tint à ces quatre sortes de joyaux. Quel nombre minimum de joyaux faudrait-il voler dans sa boutique pour être sûr d'avoir au moins cinq joyaux de la même sorte ? »

## 55 🌙 LES SACS D'OR

« En voici une simple, dit Shéhérazade. Un jour, l'un des quarante voleurs vola plusieurs sacs d'or. Chacun de ces sacs contenait soit seize pièces, soit dix-sept, soit vingt-trois, soit trente-neuf, soit encore quarante pièces. Après avoir ouvert les sacs, il compta les pièces et en trouva cent. Quels sacs avait-il pris ? »

## 56 🌙 LE SABRE

« Voici un nouveau problème de logique : un jour, un sabre de grande valeur fut volé. Une fois encore les trois suspects étaient Ibn, Hasib et Abou. Ibn accusa Hasib qui accusa Abou. On n'était pas vraiment sûr que le coupable se trouvait parmi eux, mais il apparut par la suite qu'aucun innocent n'avait menti et que le sabre avait été volé par une personne seule. Est-il possible de savoir qui a volé ce sabre ? »

## 57 🌙 A NOUVEAU UN CAMBRIOLAGE

« Cette fois, c'est une horloge précieuse qui fut dérobée. Pour ce vol, on était certain que le voleur se trouvait parmi nos trois suspects habituels : Ibn, Hasib ou Abou. Abou affirma que Hasib était innocent et celui-ci jura qu'Ibn l'était. Le témoignage d'Ibn ne fut pas enregistré. Assez curieusement, le coupable avait dit la vérité et les deux innocents avaient menti. Alors, qui a volé l'horloge ? »

### 58 🌙 LE PARTAGE DU BUTIN

« Une nuit, Abou et Ibn volèrent des pièces d'or, qui avaient toutes la même valeur. "Ce n'est pas juste ! s'écria Ibn, tu en as trois fois plus que moi !"

"D'accord, dit Abou, voici dix pièces de plus."

"Ce n'est toujours pas juste ! s'écria à nouveau Ibn, tu en as encore deux fois plus que moi !"

Maintenant, Majesté, il s'agit de savoir combien de pièces Abou devrait donner à Ibn pour qu'ils aient tous les deux le même nombre de pièces.

— Attend une minute, dit le roi. Combien de pièces ont-ils volées en tout ?

— Vous n'avez pas besoin de le savoir », dit Shéhérazade. Quelle est la réponse ?

### 59 🌙 ENCORE PLUS CUPIDE

« Cette fois, Hasib se joignit à Abou et à Ibn pour voler des pièces d'or. Abou fut encore le plus cupide : il prit trois fois plus de pièces qu'Ibn. Ce dernier, qui ne valait guère mieux, en prit deux fois plus qu'Hasib. Plus tard, revenu à une attitude plus charitable et un peu gêné vis-à-vis de Hasib, Abdou lui donna dix pièces. Les deux comparses se retrouvaient ainsi avec le même nombre de pièces. Combien les trois larrons en avaient-ils volées ? »

### 60 🌙 UNE AFFAIRE D'HONNEUR CHEZ LES VOLEURS

« Ils s'associèrent à nouveau pour voler des pièces d'or, toutes de même valeur. Cette fois, Abou se les appropria toutes sans rien laisser aux deux autres. Ces derniers se vengèrent ! Le premier, Ibn profita du sommeil d'Abou pour pénétrer chez lui et lui voler les cinq seizièmes des pièces. Plus tard, dans la même nuit, Hasib vola les sept onzièmes des pièces restantes. Lorsque Abou se réveilla le lendemain matin, il constata avec colère qu'il ne lui restait plus que huit pièces.

Combien de pièces Ibn et Hasib avaient-ils chacun dérobées ? »

### 61 ☽ QUI A VOLÉ QUOI ?

« Pour le vol suivant, qui relève de la logique, on retrouve Abou, Ibn et Hasib. L'un d'eux vola un cheval, un autre une mule et le dernier un chameau. Ils finirent par être rattrapés, mais…

– Voilà une bonne chose ! dit le roi.

– … mais on ne savait pas qui avait volé quoi. Voici ce qu'ils déclarèrent lors du procès qu'on leur fit :

> Abou : "C'est Ibn qui a volé le cheval."
>
> Hasib : "Ce n'est pas vrai. Ibn a volé la mule."
>
> Ibn : "Ils mentent tous les deux ! Je n'ai rien volé."

Il apparut que le voleur du chameau mentait, et que celui du cheval disait la vérité. Qui a volé quel animal ? »

### 62 ☽ QUI A VOLÉ QUOI À QUI ?

« Il se fait tard, dit le roi, mais je pense que nous avons le temps pour une dernière énigme. Fais en sorte que ce soit une bonne !

– Fort bien. Laissez-moi vous raconter l'affaire la plus intéressante de toutes. Trois dames, sujettes du Sultan, Amina, Fatin et Safie, possédaient chacune un bijou précieux. Un jour, trois voleurs, Abou, Kisra et Badri, volèrent chacun un bijou à l'une de ces dames, mais on ne savait pas qui avait volé quoi à qui. L'affaire s'avéra extrêmement déroutante, mais, par chance, un vieux sage en visite dans le pays parvint à rassembler les faits suivants, qui sont suffisants pour résoudre le problème.

> 1. Le voleur du diamant était célibataire et c'était le plus dangereux des trois voleurs.
>
> 2. Amina était plus jeune que la propriétaire de l'émeraude.
>
> 3. Le beau-frère d'Abou, Kisra, qui avait volé l'aînée des trois dames, était moins dangereux que le voleur de l'émeraude.
>
> 4. L'homme qui vola Amina était fils unique.
>
> 5. Abou n'est pas le voleur de Fatin.

Qui a volé quoi à qui ? »

À ce stade de l'énigme, le roi avait sombré dans un profond sommeil. Fort heureusement, se réveillant le lendemain de bonne humeur, il accorda un nouveau jour de répit à Shéhérazade. Ce qui nous amène à la nuit suivante.

# LA MILLE HUITIÈME NUIT : OÙ SHÉHÉRAZADE PROPOSE D'AUTRES ÉNIGMES ET CONCLUT PAR UNE OBSERVATION MATHÉMATIQUE FORT PERTINENTE

« La dernière énigme d'hier n'était pas facile, dit le roi. Maintenant j'aimerais en entendre quelques-unes plus simples. »

## 63 🌙 QUEL ÂGE ONT-ILS ?

« Fort bien, Votre Majesté. Deux frères ont onze ans à eux deux. L'un a dix ans de plus que l'autre. Quel âge ont-ils chacun ?

— Allons, dit le roi. Je ne t'en ai pas demandé une aussi simple ! »

Quels sont leurs âges ?

### 64 ☽ COMBIEN PÈSE-T-IL ?

« Très bien, dit Shéhérazade, un animal pèse soixante livres et un tiers de son poids. Combien pèse-t-il ?
– Oh, je la connais déjà, celle-là », dit le roi.
Pour ceux qui ne la connaissent pas, quelle est la réponse ?

### 65 ☽ TOUT LE MONDE N'EST PAS HONNÊTE !

« En voici une meilleure. Un groupe d'amis prend un repas dans une auberge. Ils décident de partager équitablement l'addition qui s'élève à vingt-quatre pièces de même valeur. Or ils s'aperçoivent que deux d'entre eux se sont éclipsés sans payer leur part. Chacun de ceux qui restent doit donc payer une pièce de plus. A l'origine, combien d'amis y avait-il dans ce groupe ? »

### 66 ☽ ENCORE LES VOLEURS D'ALI BABA

« En voici une autre, dit Shéhérazade. Un jour, Ibn entra dans une boutique et vola un tiers des pièces d'argent plus le tiers d'une pièce.
– Une seconde ! dit le roi. Comment a-t-il pu voler le tiers d'une pièce ? L'a-t-il coupée ?
– Bien sûr que non, répondit Shéhérazade en riant. Je voulais dire que l'ajout du nombre 1/3 au tiers du nombre de pièces donne le nombre de pièces prises, qui est un nombre entier.
– Oh, je vois. Continue !
– Peu de temps après, Hasib entra dans la boutique et vola un quart des pièces restantes plus le quart d'une pièce. A son tour, Abou entra et vola un cinquième de ce qui restait plus les trois cinquièmes d'une pièce. Finalement, un autre voleur de la bande déroba les quatre cent neuf pièces qui restaient. Combien de pièces Ibn avait-il trouvées ? »

### 67 ☽ UNE SIMPLE QUESTION DE LOGIQUE

« Que dirais-tu d'un problème logique ? demanda le roi.

— Parfait. Hassan était un bon ami d'Ali et d'Ahmed. Ces faits les concernant sont vrais :

> 1. Le plus vieux des trois se trouve être soit Ali soit Ahmed.
>
> 2. Ou bien Hassan est le plus vieux, ou bien Ali est le plus jeune.

Qui est le plus vieux et qui est le plus jeune ? »

## 68 🌙 QUI EST PLUS VIEUX ?

« Voici un autre problème logique, fort simple, dit Shéhérazade. Alors qu'on demandait un jour à un frère et une sœur lequel des deux était le plus vieux, le frère répondit "Je suis le plus vieux" et la sœur "Je suis la plus jeune". Il s'avéra qu'au moins un des deux mentait. Qui était le plus vieux ? »

## 69 🌙 LE PROCÈS

« En voici une plus intéressante, dit Shéhérazade. Un homme passait en jugement pour avoir dévalisé une caravane. Trois témoins vinrent à la barre. Voici leurs dépositions :

> Premier témoin : "L'accusé a commis plus d'une douzaine de vols dans le passé !"
>
> Deuxième témoin : "Ce n'est pas vrai !"
>
> Troisième témoin : "Il a certainement commis au moins un vol !"

Il apparut qu'un seul témoin avait dit la vérité.

L'accusé est-il coupable d'avoir dévalisé la caravane ? »

## 70 🌙 A QUELLE DISTANCE SE TROUVE LE SANCTUAIRE ?

« Voici un problème d'arithmétique. Ali et son ami Ahmed habitent chacun à la même distance d'un sanctuaire. Ils se donnent rendez-vous là-bas à une heure donnée et partent de chez eux au même moment, Ali marchant à la vitesse de cinq milles à l'heure et Ahmed à celle de quatre milles à l'heure. Ali arrive au sanctuaire avec sept minutes d'avance, Ahmed avec huit minutes de

retard. Quelle distance les deux hommes ont-ils parcourue ? »

### 71 🌙 L'ERMITE ET L'ESCALADE

« Voici encore un problème arithmétique, dit
Shéhérazade. Un ermite commence l'escalade d'un
chemin de montagne à huit heures du matin, à la vitesse d'un mille et demi à l'heure. Une fois le sommet
atteint, il y passe douze heures en méditation. Il redes-
cend ensuite par le même chemin, à la vitesse de quatre
milles et demi à l'heure, pour arriver en bas le lendemain
à midi. Quelle distance a-t-il parcourue ? »

### 72 🌙 UN ÉTUDIANT INTELLIGENT

« Et maintenant j'aimerais vous exposer deux problèmes
liés entre eux par une intéressante relation, révélatrice
d'un important fait mathématique. Dans le premier problème, un garçon a mal agi et, pour le punir, ses maîtres
lui demandent d'additionner tous les nombres de un à
mille.
— Voilà qui a dû lui prendre du temps ! observa le roi.
— Le garçon était très intelligent et donna la réponse en
quelques secondes, dit Shéhérazade.
— Hum ! », dit le roi.
Comment le garçon a-t-il procédé pour calculer aussi
vite ?

### 73 🌙 DEUX MANIÈRES DE PROCÉDER

« Le second problème, continua Shéhérazade, relève des
probabilités. Ali pense à un nombre entier entre un et
mille et le note. Puis Ahmed pense à un nombre entier
entre un et mille et le note. Quelle est la probabilité pour
que le nombre noté par Ahmed soit supérieur à celui
noté par Ali ?
— Hum, ne put que dire le roi.
— Il y a deux manières d'arriver à la solution, dit
Shéhérazade. L'une est à la fois plus courte et plus ingé-
nieuse que l'autre. »

Quelles sont ces deux manières ?

### 74 ❀ L'OBSERVATION DE SHÉHÉRAZADE

« Le fait que le dernier problème puisse être résolu de deux manières différentes, dit Shéhérazade, montre que l'on peut mettre autrement en évidence la généralisation bien connue du résultat du problème précédent, c'est-à-dire la formule :

$$1 + 2 + \dots + n = \frac{[n(n + 1)]}{2}. \text{ »}$$

A quoi Shéhérazade songeait-elle ?

# OÙ SHÉHÉRAZADE FAIT LE FABULEUX RÉCIT DES MAZDÉENS ET DES AHARMANITES

Au commencement de la mille neuvième nuit, le roi dit :
« Ce soir, je suis d'humeur à entendre d'autres problèmes logiques.
— Fort bien », répondit Shéhérazade et elle commença :

### 75 🌙 LES MAZDÉENS ET LES AHARMANITES

« J'ai entendu parler, Bienveillante Majesté, d'une bien curieuse ville qui se trouve à proximité ou à l'intérieur du royaume de Perse, et dans laquelle tous les habitants sont ou bien mazdéens ou bien aharmanites.
— Par Allah, que sont-ils ? demanda le roi.
— Les Mazdéens sont des adorateurs de la divinité parsie Ahura Mazda, un dieu bienveillant, tandis que les Aharmanites vénèrent le méchant dieu parsi Aharman. Les Mazdéens disent toujours la vérité, ils ne mentent jamais. Les Aharmanites ne disent jamais la vérité et mentent constamment. Tous les membres d'une famille sont de la même confession. Dans le cas de frères, ils sont donc ou tous mazdéens ou tous aharmanites. J'ai enten-

du l'histoire de deux frères, Bahman et Perviz, à qui l'on demandait s'ils étaient mariés. Voici ce qu'ils répondirent :

Bahman : "Nous sommes tous les deux mariés."
Perviz : "Je ne suis pas marié."

Bahman était-il marié ou non ? Et Perviz ? »

## 76  🐉  UNE AUTRE VERSION

« Selon une autre version de l'histoire, Ô Magnanime Souverain, Bahman n'aurait pas dit qu'ils étaient tous les deux mariés mais : "Ou bien nous sommes tous les deux mariés ou bien nous sommes célibataires." Si cette version est correcte, que peut-on en conclure pour Bahman ? Et pour Perviz ? »

## 77  🐉  UNE TROISIÈME VERSION

« Il existe aussi une troisième version de cette histoire, Ô Noble Roi, à mon sens la plus intéressante de toutes. Dans cette version, Bahman affirmait qu'au moins l'un d'entre eux était marié. Quant à Perviz, on ne se souvenait plus s'il avait affirmé qu'il était marié ou qu'il ne l'était pas. Cependant, l'homme qui avait interrogé les deux frères était un grand sage et il parvint à déduire le statut marital des deux frères.
Bahman est-il marié ou non ? Et Perviz ?
– Attends une minute, dit le roi. Tu ne m'as pas donné assez d'informations pour résoudre ce problème ; tu ne m'as pas dit ce que Perviz avait réellement affirmé.
– Je vous ai donné suffisamment d'informations, Votre Majesté, répliqua Shéhérazade. C'est ce que l'on appelle un métapuzzle. » Shéhérazade avait raison ! Quelle est donc la solution ?

## 78  🐉  OMAR LE MAGISTRAT

« J'ai bien aimé ces problèmes, dit le roi. En connais-tu d'autres concernant ce curieux peuple ?
– En effet, Votre Majesté. Le grand sage dont il est question dans la dernière histoire s'appelait Omar. Il était

bien sûr Mazdéen et très apprécié pour ses talents de logicien. Il fut pendant un temps le magistrat de la ville. Voici quelques-unes de ses aventures.

Un jour un habitant de cette ville fut amené devant Omar pour avoir volé un chameau. "Est-il vrai que tu as affirmé n'avoir jamais volé ce chameau ?", demanda Omar ?

"Oui", répondit l'accusé.

"As-tu jamais affirmé que tu l'avais volé ?", demanda Omar.

L'accusé répondit alors soit *oui*, soit *non* et, après un court instant de réflexion, Omar fut capable de dire si l'accusé était innocent ou coupable. Qu'était-il ?

– Peut-on résoudre ce problème sans connaître la réponse à la seconde question ? demanda le roi.

– Oui, dit Shéhérazade. Il s'agit à nouveau d'un métapuzzle. »

Quelle est la solution ?

### 79 ) LE CRIEUR PUBLIC

« Dans une certaine ville, Votre Majesté, il n'y a qu'un seul et unique crieur public. Désirant trouver ce crieur public, Omar parvint à limiter son choix à trois habitants. Je ne me souviens pas de leurs noms, appelons-les donc A, B et C. Ils firent les déclarations suivantes :

 A : "Je ne suis pas le crieur public."
 B : "Le crieur public est un Aharmanite."
 C : "Nous sommes tous trois des Aharmanites."
Le crieur public est-il mazdéen ou aharmanite ? »

### 80 ) OUI, MAIS LEQUEL ?

« Tout ça est très bien, dit le roi, mais ne nous dit pas qui est le crieur public.

– Mon histoire possède une seconde partie, dit Shéhérazade. A fit alors une nouvelle déclaration, affirmant que C était aharmanite. Ceci satisfait-il votre majesté ? »

## 81 ☾ LESQUELS ?

« Une autre fois, Omar interrogea trois habitants de la ville – appelons-les *A*, *B* et *C*. Il ne savait pas qui était mazdéen et qui était aharmanite. Ces habitants firent les déclarations suivantes :

> *A* : "Seuls deux d'entre nous sont mazdéens."
> *B* : "Non, il n'y en a qu'un."
> *C* : "C'est vrai."

Lesquels sont mazdéens et lesquels sont aharmanites ? »

## 82 ☾ LESQUELS SONT QUOI ?

« Une autre fois, dit Shéhérazade, Omar rencontra dix habitants $A_1$, $A_2$... $A_{10}$ qui firent les déclarations suivantes :

> $A_1$ : "Un seul d'entre nous est aharmanite."
> $A_2$ : "Deux d'entre nous, et deux seulement, sont aharmanites."
> $A_3$ : "Trois d'entre nous, et trois seulement, sont aharmanites."
> $A_4$ : "Quatre d'entre nous, et quatre seulement sont aharmanites."
> $A_5$ : "Cinq d'entre nous, et cinq seulement, sont aharmanites."
> $A_6$ : "Six d'entre nous, et six seulement, sont aharmanites."
> $A_7$ : "Sept d'entre nous, et sept seulement, sont aharmanites."
> $A_8$ : "Huit d'entre nous, et huit seulement, sont aharmanites."
> $A_9$ : "Neuf d'entre nous, et neuf seulement, sont aharmanites."
> $A_{10}$ : "Nous sommes tous aharmanites."

Alors, lesquels sont aharmanites, lesquels ne le sont pas ? »

## 83 ☾ INNOCENT OU COUPABLE ?

« Un jour, commença Shéhérazade, un habitant de la ville fut jugé par Omar pour avoir volé un éléphant.

— Voilà qui doit être plutôt difficile à voler !

— J'ignore comment il fut volé, mais l'accusé était en fait innocent de ce vol. Il ne fit qu'une déclaration au magistrat qui prouvait clairement son innocence, sans qu'on puisse néanmoins savoir s'il disait la vérité ou non. En d'autres termes, Omar fut convaincu de son innocence tout en étant incapable de dire s'il était mazdéen ou aharmanite.

Qu'a-t-il pu déclarer pour causer cet effet ? »

### 84 ☽ UNE AUTRE AFFAIRE

« La personne suivante à être jugée pour le même crime, dit Shéhérazade, fit une déposition qui permit à Omar d'en déduire, non seulement que l'homme était innocent, mais aussi qu'il était mazdéen.

Qu'a-t-il bien pu dire ? »

### 85 ☽ AFFAIRE SUIVANTE

« La troisième personne jugée pour un vol d'éléphant fit une déclaration qui permit à Omar de trouver que l'accusé était aharmanite et néanmoins innocent.

Qu'avait pu dire cet homme ? »

### 86 ☽ QUI A VOLÉ L'ÉLÉPHANT ?

« Le procès suivant, dit Shéhérazade, impliquait deux accusés, Kushran et Shirin. Voici ce qui se passa au procès :

> Omar (à Kushran) : "As-tu volé l'éléphant ?"
> Kushran : "Non, ce n'est pas moi."
> Omar (à Shirin) : "Tous les deux, adorez-vous le même dieu ?"

Shirin répondit soit *oui*, soit *non*. Omar fut alors convaincu de la culpabilité d'un des accusés. Lequel condamna-t-il, et pourquoi ?

— Peut-on résoudre ceci sans connaître la réponse de Shirin ? demanda le roi.

— Oui. »

Quelle est la solution ?

### 87 ☾ Un insondable mystère

« Ainsi, le voleur de l'éléphant fut condamné, continua Shéhérazade. Mais retrouver le propriétaire de la bête se révéla un problème particulièrement intéressant. On savait qu'il se trouvait parmi trois hommes que nous nommerons *A*, *B* et *C*. Ces trois hommes firent au magistrat les déclarations suivantes :

*A* : "L'éléphant appartient à *C*."

*B* : "L'éléphant n'est pas à moi."

*C* : "Au moins deux d'entre nous sont aharmanites."

Ceci ne permit pas à Omar de déterminer qui était le propriétaire de l'éléphant. "Allons, demanda-t-il, qui est le véritable propriétaire de cet éléphant ?"

*C* répondit en nommant *A*, *B* ou lui-même, et Omar sut alors à qui appartenait l'animal. Qui était-ce ?

– Très fort, dit le roi, mais c'est assez pour cette nuit. Si l'on poursuivait demain soir ?

– Voilà qui me convient », répondit Shéhérazade.

Nous arrivons ainsi à la nuit suivante.

# LA MILLE DIXIÈME NUIT, AU COURS DE LAQUELLE SHÉHÉRAZADE PARLE À NOUVEAU DES MAZDÉENS ET DES AHARMANITES

« J'adore ces énigmes de Mazdéens et d'Aharmanites, dit le roi. Voudrais-tu bien m'en conter d'autres ?
— Avec plaisir, répondit Shéhérazade. Elles font partie de mes préférées. »
Elle commença ainsi...

## 88 ☽ AU MOINS UN

« Un jour, Omar le sage rencontra deux habitants de sa ville. L'un fit une déclaration qui permit à Omar d'en déduire qu'au moins l'un des deux devait être aharmanite, sans qu'il pût cependant dire lequel, à moins qu'ils ne le fussent tous les deux.
Quelle genre de déclaration pourrait convenir ? »

### 89 🌙 UNE FOIS ENCORE…

« Une autre fois, Omar rencontra deux habitants. L'un fit une déclaration à partir de laquelle on pouvait déduire qu'au moins l'un des deux était mazdéen, sans toutefois pouvoir déterminer lequel. Quelle déclaration pourrait avoir cet effet ? »

### 90 🌙 UNE AUTRE FOIS

« Une autre fois, dit Shéhérazade, Omar rencontra deux habitants. La déclaration de l'un des deux permettait de conclure que l'un devait être mazdéen et l'autre aharmanite, sans qu'il soit possible de dire qui était quoi. Quelle pouvait être cette déclaration ? »

### 91 🌙 COMBIEN SONT DES VOLEURS ?

« Un jour, Omar interrogea deux hommes, Al-Maamun et Ubay, qu'il suspectait de vol. Omar réussit d'abord à découvrir que l'un d'eux devait être aharmanite, sans pouvoir identifier lequel. Puis Al-Maamun déclara qu'Ubay n'était pas un voleur aharmanite et Ubay nia qu'Al-Maamun fût un Mazdéen qui n'aurait jamais commis de vol. Des deux hommes, qui a commis un vol ? »

### 92 🌙 HUSSEIN ET SES VOLEURS

« Hussein était un féroce voleur, dit Shéhérazade. Pour faire partie de sa bande, il fallait faire une déclaration qui devait simultanément convaincre Hussein que le candidat était Aharmanite et qu'il avait déjà volé au moins une fois. Quel genre de déclaration cela pouvait-il être ? »

### 93 🌙 LES SAINTS MAZDÉENS

« Pour faire partie des saints mazdéens, dit Shéhérazade, il faut faire une déclaration qui convaincra le conseil que l'on est mazdéen et que l'on n'a jamais commis l'adultère. Par quelle déclaration pourrait-on donc convaincre le conseil ? »

### 94 ☽ L'AFFAIRE DU CHEVAL VOLÉ

« Dans cette ville, un des habitants avait volé un cheval. Présidant le tribunal, Omar demanda à l'accusé : "Quel dieu est vénéré par le voleur du cheval ?" A la réponse de l'accusé, Omar sut aussitôt s'il était innocent ou coupable. Qu'était-il donc ?
– Mais qu'avait répondu l'accusé ? demanda le roi.
– Il n'est pas utile que je vous le dise, répondit Shéhérazade. Vous pouvez d'ailleurs déterminer ce qu'a répondu l'accusé à partir de ce que je vous ai dit. »
Quelle est la solution ?

### 95 ☽ UNE AFFAIRE DIGNE DE SALOMON

« Deux belles femmes, Safie et Zabeide, se présentèrent un jour devant Omar, prétendant chacune être la mère du même enfant. Omar détermina d'abord que l'une d'elles était effectivement la mère, sans qu'il lui soit possible de dire laquelle. Puis il détermina que l'une des femmes était une Aharmanite et l'autre une Mazdéenne, sans savoir laquelle était quoi. Puis Omar demanda à Safie : "Si l'on demandait à Zabeide laquelle de vous est la mère de l'enfant, que dirait-elle ?" Safie répondit : "Zabeide dirait que l'enfant est à elle."
Qui est la vraie mère de l'enfant ? »

### 96 ☽ UN PROBLÈME DE LOGIQUE

« Voici un problème de logique pour vous, dit Shéhérazade. Quelle phrase pourrait être aussi bien dite par une Mazdéenne que par un Aharmanite, mais ne pourrait être prononcée ni par un Mazdéen ni par une Aharmanite ? »

### 97 ☽ UN AUTRE PROBLÈME DE LOGIQUE

« En voici un autre. Quelle phrase pourrait être dite par n'importe quelle femme, mazdéenne ou aharmanite, sans pouvoir être prononcée par aucun homme, qu'il soit mazdéen ou aharmanite ? »

### 98 ☽ UN AUTRE...

« Quelle phrase ne pourrait être prononcée que par une Mazdéenne, alors que ni un Mazdéen, ni un ou une Aharmanite ne le pourraient ? »

### 99 ☽ ENCORE UN PROBLÈME DE LOGIQUE

« Quelle phrase ne pourrait être prononcée que par une Aharmanite ? »

### 100 ☽ QUI EST LE TRAÎTRE ?

« Voici une énigme intéressante, dit Shéhérazade. Dans une certaine ville, on soupçonnait qu'il y avait un traître, mais on ignorait s'il s'agissait d'un Mazdéen ou d'un Aharmanite. Les trois principaux suspects, qui se nommaient Ayyib, Isa et Nowas, furent présentés au sage Omar. Ayyib prétendait qu'Isa était le traître, et ce dernier accusait Nowas. Omar demanda à Nowas s'ils vénéraient tous trois le même dieu. Nowas ayant répondu par l'affirmative ou par la négative, Omar réfléchit un instant et dit : "Je n'ai pas encore assez de preuves pour condamner l'un d'entre vous, mais j'en ai suffisamment pour en acquitter un parmi vous." Il désigna alors l'un des hommes et lui dit : "Il est clair que tu n'es pas le traître, aussi es-tu libre de partir." L'homme s'empressa de quitter la salle, laissant les deux autres sur le banc des accusés. Omar demanda alors à l'un d'eux : "Vénérez-vous tous deux le même dieu ?" L'homme répondit *oui*. Omar sut alors qui était le traître. Qui était-ce ?
— Comme si je pouvais le savoir !
— Bien sûr que vous le pouvez ! Cette énigme n'est pas insoluble ! »
Quelle est sa solution ?

### 101 ☽ UN EMBROUILLAMINI LOGIQUE

« Une dernière pour cette nuit, dit le roi.
— Fort bien. Dans cette affaire, l'enfant d'un cheikh fortuné avait été enlevé et une rançon énorme réclamée et

payée. L'enfant n'avait pas été maltraité. Cependant, il fallait bien que le ou les ravisseurs soient traduits en justice. Deux suspects furent jugés. Il apparut, à l'ouverture du procès, qu'il se pouvait fort bien qu'aucun de ces hommes n'ait enlevé l'enfant, ou qu'un seul soit coupable ou qu'ils le soient tous les deux. Personne ne savait au juste. Les accusés se nommaient Affan et Kurrat. Huit habitants de la ville, *A*, *B*, *C*, *D*, *E*, *F*, *G* et *H*, comparurent comme témoins et firent les dépositions suivantes :

    *A* : "Affan vénère Mazda."

    *B* : "Kurrat vénère Aharman."

    *C* : "*A* vénère Aharman."

    *D* : "*B* vénère Aharman."

    *E* : "*C* et *D* vénèrent tous deux Mazda."

    *F* : "*A* et *B* mentent tous les deux."

    *G* : "*E* et *F* vénèrent le même dieu."

    *H* : "*G* et *I* vénèrent le même dieu et Affan et Kurrat ne sont pas tous les deux coupables."

A partir de cet embrouillamini logique, dit Shéhérazade, on peut établir la culpabilité ou l'innocence de chacun des accusés.

– Misère ! », dit le roi.

Quelle est la solution ?

# DANS LEQUEL
# ON NOUS RELATE
# COMMENT SHÉHÉRAZADE
# DIVERTIT LE ROI
# AU COURS DE
# LA MILLE ONZIÈME NUIT

« La dernière énigme que tu m'as contée la nuit dernière était plutôt difficile!, dit le roi.

– Et bien ce soir je vous ai réservé quelques tours et énigmes très spéciaux. »

## 102 🌙 LES NOMBRES MAGIQUES

Shéhérazade commença ainsi : « Pensez à un nombre quelconque de trois chiffres, et écrivez-le, suivi par lui-même. Par exemple, si vous pensez à 294, écrivez 294294.

Le roi pensa à 583 et écrivit donc 583583.

– Maintenant, divisez-le par 7.

C'est ce que le roi fit, et il obtint le nombre 83369.

— Vous remarquez qu'il n'y a pas de reste, dit Shéhérazade.

— C'est exact, mais comment peux-tu le savoir ? Tu n'as pas vu ce que j'ai écrit.

— Ah ah ! Maintenant, divisez ce nombre par 11.

Le roi, s'exécutant, obtint le nombre 7579.

— A nouveau, vous n'avez pas de reste, dit Shéhérazade.

— Comment est-ce possible ? s'exclama le roi.

— Eh eh ! dit Shéhérazade. Maintenant, divisez le nombre que vous avez par 13.

Le roi obtint alors le nombre 583.

— Quelle drôle de coïncidence, dit-il, je viens de retrouver le nombre auquel j'avais pensé au départ.

— C'est parce que vous avez pensé à un nombre *magique*, dit Shéhérazade.

— Que veux-tu dire par un *nombre magique* ?

— Je considère comme *magique* tout nombre de trois chiffres tel que, si l'on opère sur lui les opérations que je vous ai indiquées, vous retrouvez le même nombre.

— Voilà qui est intéressant, dit le roi. Existe-t-il d'autres nombres magiques ?

— Il en existe d'autre.

— Combien ?

— C'est justement le problème que je me proposais de vous soumettre : combien en existe-t-il ?

— Eh ! Tu n'espères tout de même pas que je vais passer tous les nombres de trois chiffres en revue ? «

— Bien sûr que non ! s'esclaffa Shéhérazade. Il existe un moyen simple pour déterminer combien de ces 900 nombres le sont. »

Combien y a-t-il de nombres magiques de trois chiffres ?

## 103 🌙 COMMENT FAIRE ?

« Voici un petit tour qui pourrait vous intéresser, dit Shéhérazade. Avec deux sabliers, respectivement de sept et onze minutes, comment pourriez-vous minuter une cuisson de quinze minutes pour un œuf ?

Ce minutage peut se faire de deux manières différentes, continua-t-elle. L'une d'elles est plus longue, mais exige moins de manipulations que l'autre. »
Sauriez-vous les trouver toutes les deux ?

## 104 🌙 UNE VARIANTE

Comment peut-on mesurer neuf minutes avec un sablier de quatre minutes et un de sept minutes ?

## 105 🌙 ÉCHEC AU ROI NOIR

« Jouez-vous aux échecs ? demanda Shéhérazade.
– Voyons ! Cela va de soi !
– Fort bien. Supposons que le roi noir soit sur une case d'angle et le cavalier blanc sur la case d'angle diamétralement opposée. Il n'y a pas d'autres pièces sur l'échiquier. Les joueurs jouent à tour de rôle et le cavalier commence. Si le cavalier met le roi en échec en moins de quinze coups, les blancs gagnent, sinon la victoire est aux noirs. Que préférez-vous prendre, les noirs ou les blancs ? »

## 106 🌙 UN BON PROBLÈME DE LOGIQUE

« Supposons, dit Shéhérazade, que sur la table quelqu'un pose une pièce de cuivre, une d'argent et une d'or et vous demande de formuler une phrase. Si cette phrase est vraie, vous gagnez une des trois pièces, sans savoir laquelle ; si, en revanche, la phrase est fausse, elle ne vous rapportera rien. Quelle phrase vous garantirait de gagner la pièce d'or ?
– Peut-on vraiment y arriver ? demanda le roi.
– Mais oui. »
Quelle serait la bonne phrase ?

## 107 🌙 UN FAIT ARITHMÉTIQUE

« Permettez-moi de vous soumettre ceci, dit Shéhérazade. Considérons la décimale infinie

0,999999…, c'est-à-dire la virgule suivie d'une infinité de 9. Ce nombre est-il plus petit que 1 ?
— Bien sûr !
— De combien ?
— Hum, c'est difficile à dire ! »
Et vous que diriez-vous ?

## 108 🌙 LES REBONDS DE LA BALLE

Shéhérazade mit un certain temps à faire accepter au roi la bonne réponse au problème précédent. Finalement elle y parvint et enchaîna :
« Voici maintenant une très intéressante énigme. Supposons qu'une balle soit lâchée d'une hauteur de cent quatre-vingts pieds et qu'à chaque rebond elle s'élève exactement à un dixième de la hauteur à laquelle elle est tombée. Quelle est la distance totale que la balle parcourra avant de s'arrêter ?
— Hum », dit le roi.
Quelle est la réponse ? (Une indication : le problème précédent est pertinent.)

## 109 🌙 LE PARTAGE DU BUTIN

« Un jour, commença Shéhérazade, vingt hommes de la fameuse bande des quarante voleurs capturèrent un énorme butin constitué de diamants, d'émeraudes, de rubis, de saphirs, d'améthystes, de perles, de pièces d'or et d'argent, d'ornements, de soieries, d'épices et autres babioles. Quand arriva l'heure du partage en vingt parts égales, certains dirent qu'ils préféraient les bijoux, d'autres les pièces, d'autres encore les soieries, et ainsi de suite. En bref, chaque voleur avait sa propre conception de ce qui devait constituer le vingtième du butin… et aucun d'eux ne pouvait donc partager le butin en vingt parts égales qui auraient satisfait tout le monde. Le butin pouvait néanmoins être partagé de façon à ce que chacun ait au moins la satisfaction d'en recevoir un vingtième. Bien sûr, le nombre vingt n'a rien de spécial ; il est possible de faire la même démarche avec cent personnes ou n'importe quelle quantité. Comment procéder lorsqu'il n'y a que deux personnes ?

— Je ne pense pas qu'on puisse le faire, dit le roi.

— Oh, c'est très simple ! Une personne fait le partage en deux parts qu'elle juge égales et laisse l'autre personne choisir la part qu'elle désire : toutes deux ne peuvent qu'être satisfaites.

— Ah, oui, dit le roi. Je crois bien en avoir déjà entendu parler. Mais que fait-on quand il y a trois personnes ?

— Si vous arrivez à trouver comment faire avec trois personnes, je suis certaine que vous y parviendrez avec n'importe quel nombre. »

Quelles sont les solutions ?

Note de l'auteur : à ce problème célèbre, il existe deux solutions, assez différentes l'une de l'autre. Nombre d'entre vous en trouveront au moins une. Mais l'autre étant tout aussi intéressante, il est bon de les connaître toutes les deux.

## 110 🌙 UN PARADOXE

« Et maintenant, dit Shéhérazade, voici pour vous un paradoxe. Nous avons trois boîtes marquées *A*, *B* et *C*. Une seule de ces trois boîtes contient une pièce d'or ; les deux autres sont vides. Je vais vous prouver que, quelle que soit la boîte que vous choisirez parmi les trois, la probabilité pour qu'elle contienne la pièce d'or est de une sur deux.

— C'est absurde ! dit le roi. Dans la mesure où il y a trois boîtes, il est clair que la probabilité est de une sur trois.

— Bien sûr que c'est absurde, dit Shéhérazade, c'est d'ailleurs ce qui en fait un paradoxe. Je vais vous démontrer que la probabilité est de une sur deux, et votre problème sera de trouver l'erreur dans le raisonnement, car ce dernier contient manifestement une erreur.

— D'accord.

— Supposons que vous preniez la boîte *A*. La pièce est, à probabilités égales, dans n'importe laquelle des boîtes, donc si la boîte *B* est vide, il y a une chance sur deux pour que la pièce soit en *A*.

– C'est exact.

– De même, si la boîte *C* est vide, il y a encore une chance sur deux pour que la pièce soit en *A*.

– Exact.

– Mais l'une des boîtes *B* et *C* au moins doit être vide. Qu'il s'agisse de B ou de *C*, il y a donc une chance sur deux pour que la pièce soit en *A*. Donc les chances sont de une sur deux. »

Quelle est la solution de ce paradoxe ?

# LES ÉNIGMES
# ET LES MÉTAPUZZLES
# DE SHÉHÉRAZADE DURANT
# LA MILLE DOUZIÈME NUIT

« Ce soir, dit Shéhérazade, je vous réserve quelques métapuzzles hors du commun. Mais avant cela, voici deux petites énigmes pour vous échauffer. »

### III ☽ LES ÉTIQUETTES MÉLANGÉES

« Voici un petit exercice de probabilités, dit-elle. Comme dans un problème que je vous avais donné à résoudre il y a quelques nuits, nous nous trouvons face à trois commodes qui contiennent chacune deux tiroirs. Chaque tiroir renferme une émeraude ou un rubis. Ici encore, une commode contient deux émeraudes, une autre deux rubis et la dernière une émeraude et un rubis. Cette fois trois étiquettes doivent être apposées, chacune sur une commode. Sur l'une d'elles, il est écrit « $E\,E$ » ce qui veut dire deux émeraudes ; sur une autre, « $R\,R$ », ce qui signifie deux rubis ; et sur la dernière, il est écrit « $E\,R$ », ce qui signifie une émeraude et un rubis. Supposons maintenant que les étiquettes ont été apposées au hasard, si bien que les unes sont vraies et les autres fausses. Quelle est la probabilité pour qu'une seule soit fausse ? »

## 112 🌙 ENCORE DES ÉTIQUETTES MÉLANGÉES

« En conservant les données du problème précédent, dit Shéhérazade, supposons que toutes les étiquettes soient fausses, et que vous deviez ouvrir les tiroirs un par un jusqu'à ce que vous soyez capable de dire ce que contient chaque commode. Quel est le plus petit nombre de tiroirs que vous auriez à ouvrir pour y parvenir ? »

## 113 🌙 UN MÉTAPUZZLE D'ÉTIQUETTES MÉLANGÉES

« Voici une énigme plus intéressante. Quatre hommes subissent une épreuve. Devant chacun d'eux on a placé une commode à trois tiroirs. Chaque tiroir contient une émeraude ou un rubis. Une commode contient trois émeraudes, une autre trois rubis, la suivante renferme deux émeraudes et un rubis et la dernière une émeraude et deux rubis. Les quatre étiquettes « $E E E$ », « $R R R$ », « $E E R$ » et « $R R E$ » ont été apposées aux quatre commodes et chaque homme est informé que son étiquette est fausse. Aucun d'eux ne voit d'autre étiquette que la sienne. Chacun doit ouvrir deux tiroirs de sa commode et essayer de déterminer le contenu du troisième. Le premier homme ouvre deux tiroirs et dit : "J'ai trouvé deux émeraudes et je sais quel est l'autre joyau." Le second homme ouvre alors deux de ses tiroirs et dit : "J'ai trouvé une émeraude et un rubis, et je sais quel est le joyau restant." Le troisième homme ouvre ensuite deux de ses tiroirs et dit : "J'ai trouvé deux rubis." L'expérimentateur qui dirige l'épreuve lui demande alors : "Voilà qui est très bien, mais savez-vous quel joyau se trouve dans le troisième tiroir ?" Nous ne savons pas si l'homme lui répondit alors *oui* ou *non*. Maintenant, si vous connaissiez la réponse du troisième homme, vous seriez capable de trouver ce que chacune des quatre commodes contient et quelle étiquette on a apposée sur chacune d'elles.

— Voilà qui m'intrigue, dit le roi. Tu dis que *si* je connaissais sa réponse, je pourrais trouver la solution, mais comme je ne la connais pas, je suppose que je ne peux pas trouver la solution. Ai-je bien compris ?

— Mais justement, vous *pouvez* trouver la solution, parce que vous avez l'information supplémentaire que *si* vous connaissiez sa réponse vous pourriez résoudre le problème. Cette information supplémentaire suffit à vous faire trouver la solution. »

Quelle est cette solution ?

« C'était un problème bien compliqué ! dit le roi, après que Shéhérazade lui ait expliqué la solution.

— Oui, c'était un métapuzzle.

— Voilà plusieurs fois que tu utilises ce terme, dit le roi. Qu'est-ce au juste qu'un métapuzzle ?

— Oh, c'est le genre d'énigme dans laquelle on ne vous communique pas toute l'information, mais que vous pouvez résoudre rien qu'en sachant qu'une personne plus informée a su ou non la résoudre.

— Très intéressant, dit le roi. Connais-tu d'autres métapuzzles ?

— Oui, dit Shéhérazade. En voici un beau. »

## 114 🌙 QUEL ÂGE ONT-ILS ?

« Iskandar, une personne extrêmement intelligente, demanda un jour à son ami Kamar l'âge, en années, de ses trois enfants. Voici la conversation qui s'ensuivit :

Kamar : "Le produit de leurs âges est trente-six."

Iskandar : "Cela ne me dit pas leurs âges."

Kamar : "Eh bien, le hasard fait que la somme de leurs âges est égale au vôtre."

Iskandar (après plusieurs minutes de réflexion) : "Je n'ai toujours pas assez d'indices."

Kamar : "Ceci vous aidera peut-être : mon fils a plus d'un an de plus que ses deux sœurs."

Iskandar : "Parfait ! Maintenant je connais leurs âges."

Quel âge ont-ils ? »

## 115 🌙 A QUEL TYPE APPARTIENT BULIKAYA ?

« J'ai bien aimé celle-là, dit le roi. Raconte-moi d'autres métapuzzles.

— Très bien. Je vais vous en raconter un sur les Mazdéens et les Aharmanites. Comme vous le savez, les Mazdéens vénèrent le dieu bienveillant Mazda et disent toujours la vérité ; tandis que les Aharmanites, qui vénèrent le méchant dieu Aharman, mentent toujours. Dans cette ville habitait un certain Bulikaya, personnage plutôt mystérieux dont personne ne semblait savoir s'il était mazdéen ou aharmanite. Or, un jour, on voulut absolument savoir de quelle religion il était et le conseil municipal chargea Omar d'instruire l'affaire. Celui-ci rendit visite à Bulikaya qui était en compagnie de son ami Ayn Zar. Attention, ce n'est pas parce qu'ils sont amis qu'ils sont obligatoirement de la même religion.

— Comment deux amis pourraient-ils ne pas vénérer le même dieu ? demanda le roi.

— Ces gens sont très tolérants pour ce qui est de la religion des autres, répondit Shéhérazade. Quoi qu'il en soit, Omar demanda à Ayn Zar : "L'un d'entre vous est-il mazdéen ?" Ayn Zar répondit, mais Omar ne pouvait pas encore dire ce qu'était Bulikaya. Il interrogea alors ce dernier : "Ayn Zar a-t-il répondu honnêtement ?" Bulikaya répondit et Omar put dire s'il était mazdéen ou aharmanite. Et vous ?

— Voilà qui est proprement déconcertant, dit le roi. Est-il vraiment possible de trouver la solution en ignorant ce que chacun a répondu ?

— C'est tout à fait possible. »

Quelle est la solution ?

# LA MILLE TREIZIÈME NUIT, DURANT LAQUELLE SHÉHÉRAZADE RACONTE L'HISTOIRE D'AL-KHIR

« Ce soir, dit Shéhérazade, je vous présenterai des énigmes totalement différentes de celles que je vous ai proposées jusqu'à présent. »

## 116 🌙 LA PREMIÈRE ÉPREUVE

« Un prince du nom d'Al-Khir était amoureux de la fille du sultan à qui il demanda sa main.

"Ma fille est très difficile, dit le sultan, et ne veut épouser qu'un homme doué d'une intelligence extraordinaire. Si tu souhaites l'épouser, tu devras donc d'abord passer huit épreuves."

"Quelles sont ces épreuves?", demanda le prétendant.

"Et bien, pour la première, il te faudra noter un nombre, qui sera envoyé à la princesse. Elle te renverra alors un nombre. Et si ce nombre est exactement celui que tu lui auras envoyé, elle t'autorisera à affronter la deuxième épreuve. Mais si son nombre est différent du tien, tu seras éliminé."

"Mais comment puis-je savoir quel nombre il faut écrire ? demanda le prétendant. Comment devinerai-je le nombre que la princesse a en tête ?"

"Oh, elle n'a pas de nombre en tête, dit le sultan. Celui qu'elle renverra dépendra du nombre que tu enverras. Celui que tu enverras *conditionne totalement* le nombre qu'elle renverra. Et si tu lui envoies le bon nombre, elle te renverra le même nombre."

"Comment puis-je alors deviner le bon nombre ?" demanda Al-Khir.

"Il ne s'agit pas de *deviner*, dit le sultan. Tu dois *déduire* le nombre correct d'après les règles que je vais te donner. Pour tous nombres $x$ et $y$, par $xy$ j'entendrai non pas $x$ fois $y$ mais $x$ suivi de $y$, ces deux nombres étant bien sûr écrits en base dix en chiffres arabes. Par exemple, si $x$ est égal à 5079 et $y$ à 863, par $xy$ j'entendrai 5079863. Voici maintenant les règles :

Règle 1 : pour tout nombre $x$, si tu lui écris $1x2$, elle te répondra le nombre $x$. Par exemple, si tu écris 13542, elle te répondra 354.

Règle 2 : pour tout nombre $x$, la répétition de $x$ sera $xx$. Par exemple, la répétition de 692 sera 692692. Et la deuxième règle est que si $x$ a pour réponse $y$, alors $3x$ a pour réponse la répétition de $y$. Par exemple, comme 15432 a pour réponse 543, alors 315432 a pour réponse 543543. Il s'ensuit que si l'on envoie 3315432, la réponse sera 543543543543 (puisque la réponse à 315432 est 543543).

Règle 3 : l'inverse d'un nombre est ce nombre écrit à l'envers. Par exemple, l'inverse de 62985 est 58926. La troisième règle est que si $x$ a pour réponse $y$, alors $4x$ a pour réponse l'inverse de $y$. Par exemple, puisque 172963 a pour réponse 7296, alors 4172963 a pour réponse 6927. Ou, en combinant les règles 1, 2 et 3, puisque 316982 a pour réponse 698698 (par les règles 1 et 2), alors 4316982 a pour réponse 896896.

Règle 4 (la règle de suppression) : si $x$ a pour réponse $y$ et si $y$ comporte au moins deux chiffres, alors $5x$ a pour résultat la suppression du premier chiffre de $y$. Par exemple, puisque 13472 a pour réponse 347, alors 513472 a pour réponse 47.

Règle 5 (la règle d'addition) : si $x$ a pour réponse $y$, alors $6x$ aura pour réponse $1y$ et $7x$ aura pour réponse $2y$. Par exemple, puisque 15832 a pour réponse 583, alors 615832 aura pour réponse 1583, et 715832, 2583.

Voilà les règles, dit le sultan, grâce auxquelles il est possible de déduire quel nombre $x$ aura pour réponse le même nombre $x$. Il existe en fait une infinité de réponses, mais une seule suffira pour réussir cette première épreuve."

"Ces nombres ont-ils une quelconque signification ?" demanda le prince.

"C'est le secret de la princesse, mais heureusement tu n'as pas besoin de connaître la signification pour réussir." »

## 117 ✸ La deuxième épreuve

« Pour la deuxième épreuve, le prétendant doit envoyer à la princesse un nombre $x$ tel que celle-ci lui en renverra la répétition, c'est-à-dire $xx$.

Quel pourrait être un tel $x$ ? »

## 118 ✸ La troisième épreuve

« Pour la troisième épreuve, le prétendant doit envoyer à la princesse un nombre $x$ tel que celle-ci lui en renverra l'inverse. Quel pourrait être cet $x$ ? Il obtiendra en outre une bonification si son nombre contient moins de douze chiffres.

Quel pourrait être ce nombre ? »

## 119 ✸ La quatrième épreuve

« Pour cette épreuve, le prétendant doit envoyer un nombre $x$ tel que la princesse lui renverra le nombre $x$ dont le dernier chiffre aura été supprimé.

Quel pourrait être cet $x$ ? »

### 120 ☽ La cinquième épreuve

« Pour cette épreuve, le prétendant doit envoyer un nombre $x$ tel que la princesse lui retourne un nombre $y$ différent, qu'il devra ensuite renvoyer à la princesse. Si tout se passe bien, celle-ci lui renverra alors $x$.
Quel pourrait être ce nombre $x$ ? »

### 121 ☽ La sixième épreuve

« Le prétendant doit maintenant envoyer un nombre $x$, recevoir un nombre $y$, renvoyer ce nombre à la princesse et recevoir d'elle l'inverse du nombre $x$.
Quel pourrait être cet $x$ ? »

### 122 ☽ La septième épreuve

« Pour cette épreuve, le prétendant doit envoyer un nombre $x$, recevoir en retour $y$, renvoyer cet $y$ à la princesse et recevoir d'elle le nombre $x$ dont le premier et le dernier chiffre sont intervertis.
Quel pourrait être ce nombre $x$ ? »

### 123 ☽ La huitième épreuve

« Pour l'épreuve finale, le prétendant doit envoyer un nombre $x$; la princesse lui retournera un nombre $y$. Il lui faudra alors lui en renvoyer l'inverse. La princesse lui renverra alors un nombre de la forme $zz$ (un nombre $z$ répété); le prétendant devra alors couper — façon de parler — $zz$ en deux et lui envoyer $z$. Et la princesse lui enverra finalement le nombre de départ $x$.
Quel pourrait être ce nombre de départ ? »

# LA GRANDE QUESTION

Nous arrivons maintenant à la partie la plus remarquable de toute l'histoire !

« Ces derniers problèmes m'ont donné une terrible migraine et tu m'as tenu éveillé toute la nuit ! rugit le roi. Je pense avoir entendu assez d'énigmes pour toute une vie ! C'est assez ! J'ai dit ! Il est grand temps de passer à ton exécution. L'aube commence à poindre et la journée d'aujourd'hui conviendra aussi bien qu'une autre.

– Qu'il en soit fait selon votre volonté, dit Shéhérazade, mais vous ne refuseriez pas sa dernière volonté à une condamnée, n'est-ce pas ?

– Cela dépend de la nature de la requête, répondit le roi. A quoi penses-tu ?

– Je voudrais, dit Shéhérazade, vous poser une question, à laquelle on peut répondre par *oui* ou par *non*. Tout ce que je vous demande est de répondre *oui* ou *non* et de le faire honnêtement.

– Je réponds toujours honnêtement aux questions, rétorqua le roi.

– Vous promettez donc ?

– Bien sûr ! »

Shéhérazade formula alors si habilement sa question que le roi, pour tenir sa parole, dut épargner sa vie ! Il existe trois versions différentes de ce qui ce passa. Ma source secrète les mentionne toutes les trois en avouant que nul ne sait laquelle est la bonne. Voici ces trois versions :

### 124 🌙 La première version

Selon cette version, la question était telle que le roi, pour tenir sa parole, n'eut d'autre solution que de répondre *oui* et d'épargner Shéhérazade.
Quelle pouvait être cette question ?

### 125 🌙 La deuxième version

Selon cette version, le roi fut contraint de lui répondre *non* et de l'épargner.
Quelle pouvait être cette question ?

### 126 🌙 La troisième version

Selon cette version, le roi pouvait répondre aussi bien *oui* que *non*, mais, dans les deux cas, il dut épargner la vie de Shéhérazade.
Quelle pouvait être cette question ?

### Épilogue

Il est rare, de nos jours, qu'une histoire se termine bien et que l'on écrive que le couple vécut heureux. Quoi qu'il en soit, puisque je me veux honnête et désire rendre compte très consciencieusement de ma source secrète, je vous informe que le roi et Shéhérazade ont *bien* vécu heureux, et même très heureux. Ils eurent beaucoup de beaux et brillants enfants, qui grandirent et inventèrent toutes sortes d'énigmes, qui nous sont parvenues à travers les siècles.

# LIVRE II

☆ ☽ ☆ ☺ ☆ ☽ ☆

# DES ÉNIGMES

# DE SHÉHÉRAZADE

# À LA LOGIQUE MODERNE

# LA LOGIQUE COERCITIVE

La question posée au roi par Shéhérazade était presque d'ordre magique, en ce qu'elle le forçait à faire une chose qu'il n'aurait pas faite autrement : épargner sa vie. Mon gendre, le docteur Jack Kotik, a trouvé un nom parfaitement adapté à ce type de logique, *la logique coercitive*, dénomination que j'adopterai volontiers. Ceci me semblant être un sujet plein de ressources, je me propose, dans ce chapitre et les deux qui suivent, de lancer le débat en vous soumettant d'autres problèmes de logique coercitive (dont les solutions se trouvent désormais à la fin de chaque chapitre).

## I ☽ Un autre conte de Shéhérazade

Comme nous avons pu le lire à la fin du premier Livre, Shéhérazade et le roi formèrent un couple heureux. Quelques années après, le roi fut à nouveau d'humeur à entendre des problèmes de logique.

« En voici un que vous devriez aimer, dit Shéhérazade. Un sultan, père de deux charmantes filles, recevant un jour la visite d'un prince, lui dit : "Tu me sembles un jeune homme de bien belle allure et je t'apprécie beaucoup. Aussi, voudrais-je te proposer de formuler une déclaration. Si cette déclaration est vraie, je te donnerai ma fille cadette en mariage, si elle est fausse en revanche, tu ne pourras l'épouser."

Or le prince avait jeté son dévolu sur la fille aînée et non sur la cadette ! Il tourna donc sa déclaration de telle manière que le sultan soit forcé de lui donner sa fille aînée. Quelle phrase pourrait avoir un tel effet ? »

## 2 ☽ UNE VARIANTE

« Selon une autre version, dit Shéhérazade, le prince, très avide, voulait épouser les deux sœurs. Par quelle déclaration pouvait-il forcer le sultan à les lui donner toutes deux ? »

## 3 ☽ UNE TROISIÈME VERSION

« Il existe encore une troisième version, dit Shéhérazade. Dans celle-ci, le sultan avait *trois* filles et non deux. Il dit au prince : "Si tu fais une déclaration qui est vraie, je te donnerai au moins l'une de mes filles en mariage, peut-être deux et peut-être les trois. Mais si ta déclaration est fausse, tu ne pourras en épouser aucune." Il se trouvait que le prince était amoureux de la benjamine et de l'aînée, mais n'aspirait pas à épouser la cadette. Que pouvait-il dire qui obligerait le sultan à lui donner les deux filles de son choix ? »

## 4 ☽ UN ÉTUDIANT ROUBLARD

Nous arrivons maintenant à l'époque moderne. Un étudiant en logique, ayant donné rendez-vous à une jeune fille, lui dit : « J'aimerais te demander une faveur. Je vais te dire quelque chose. Tout ce que je demande, si ce que je dis est vrai, c'est que tu me donnes une photo de toi. Veux-tu faire cela pour moi ? » La jeune fille donna son accord. « Mais, continua le jeune homme, si ce que je dis est faux, tu dois me promettre de ne pas me donner ta photo. D'accord ? » Elle le fut aussi.
L'étudiant formula alors sa phrase de telle façon, qu'après un temps de réflexion, la jeune fille se rendit compte, amusée, que pour tenir sa parole, elle devait lui donner, non pas une photographie, mais un baiser !
Que pouvait-il bien lui avoir dit ?

### 5 ⊕ COMMENT OBTENIR LES DEUX?

L'étudiant peut également formuler une phrase qui obligerait la jeune fille à lui offrir à la fois une photo et un baiser. Quelle pourrait être cette phrase?

### 6 ⊕ UNE VARIANTE

Il existe encore une autre phrase qui laisserait le choix à la jeune fille de lui donner sa photo ou non, mais l'obligerait dans tous les cas à lui donner un baiser. Quelle est cette phrase?

### 7 ⊕ COMMENT VOUS OBLIGER À DIRE LA VÉRITÉ

Puisque nous parlons de coercition, il est une question à laquelle il est impossible, sur un plan logique, de répondre par un mensonge! (A condition que vous répondiez par *oui* ou par *non*.) Vous êtes obligé de dire la vérité! Quelle est cette question?

### 8 ⊕ COMMENT VOUS FORCER À MENTIR

Dans ce cas, la question vous oblige en revanche à répondre par un mensonge! (Toujours à condition que vous répondiez *oui* ou *non*.) Quelle est-elle?

J'aimerais interrompre un instant ces problèmes de logique coercitive pour vous entretenir d'une pensée amusante qui m'est venue en lisant Platon. Dans un dialogue de Platon, après que Socrate eut critiqué le sophiste Protagoras qui avait réclamé de l'argent à ses étudiants sans leur avoir rien appris de valable, Protagoras répondit : « A la fin de mon cours, si l'étudiant a l'impression de ne rien avoir appris de valable, je lui rendrai son argent. » Supposons qu'à la fin du cours un étudiant vienne voir Protagoras et lui demande de lui rendre son argent. Protagoras lui demande : « Peux-tu me donner une bonne raison pour que je te rende ton argent? » L'étudiant en fournissant une, Protagoras lui répond : « Vois quels talents de dialecticien tu as acquis grâce à moi! » Un second étudiant venant alors voir Protagoras dans le même but, celui-ci demande à nouveau : « Peux-tu me donner une bonne raison pour que je te rende ton argent ? » L'étudiant réfléchissant un instant lui répond par la négative, ce à quoi Protagoras ne peut que répondre : « D'accord, voilà ton argent. »

### 9 🌙 QUEL SERAIT VOTRE CHOIX ?

Pour en revenir à la logique coercitive, voici une variante d'un vieux problème de mon cru qui nous en donne une belle illustration et qui, conjointement avec le suivant, est une bonne préparation au problème 11. Arthur et Robert vous font chacun une offre. Arthur vous demande de formuler une phrase et promet de vous payer exactement dix dollars si cette phrase est vraie, dans le cas inverse, il vous paiera plus de dix dollars, ou moins, sans vous dire exactement combien, en tout cas pas dix. Robert, de son côté, vous demande de formuler une phrase et offre de vous payer vingt dollars si cette phrase est vraie et de ne rien vous donner si elle est fausse. Laquelle des deux offres allez-vous accepter ?

### 10 🌙 COMMENT GAGNER LE GROS LOT ?

Dans mon enseignement de la logique, je soumets depuis des années le cas suivant à mes étudiants en sciences humaines : je place une pièce d'un dollar et une autre de cinq cents sur la table et je demande à un étudiant de formuler une phrase. Si celle-ci est vraie, j'accepte de lui donner une des deux pièces, sans préciser laquelle. Mais si elle est fausse, je ne lui en donne aucune. Que pourrait dire l'étudiant qui me forcerait à lui donner la pièce d'un dollar ?

### 11 🌙 J'AURAIS PU PERDRE GROS !

Comme je vous le disais, j'ai fait ce jeu pendant des années, jusqu'à ce que je me rende compte avec horreur que pendant tout ce temps je m'étais exposé au risque de perdre un million ! Oui, il y a une phrase qu'un étudiant aurait pu formuler, qui – à condition bien sûr que je

tienne parole – m'aurait obligé à lui donner un million.
Quelle est cette phrase ?

# SOLUTIONS

## ☆ 1 ☆

La phrase « Tu ne me donneras aucune fille en mariage »
pourrait convenir. Si la phrase était vraie, le sultan serait
donc obligé de lui donner sa fille, ce qui serait cependant
en contradiction avec la phrase formulée par le prince.
Celle-ci ne peut donc être vraie, c'est-à-dire qu'il n'est
pas vrai qu'il ne donnera aucune fille en mariage. Il donnera donc au moins l'une de ses filles. Mais, la phrase
étant fausse, il ne peut donner la main de la plus jeune
et doit donc lui offrir celle de l'aînée.

## ☆ 2 ☆

La prince pourrait dire : « Tu ne me donneras pas la plus
jeune de tes filles en mariage, à moins de me donner
aussi l'aînée. » Le seul moyen d'invalider cette affirmation serait, pour le sultan, de lui donner la cadette sans
pour autant donner l'aînée. Or ceci est impossible
puisque le sultan a dit qu'il ne donnerait pas sa fille
cadette si la phrase était fausse. La phrase ne pouvant être
fausse, elle est donc vraie. Et puisqu'elle est vraie, le sultan doit donner sa fille cadette comme promis, mais
aussi son aînée.

## ☆ 3 ☆

Voici ce qui pourrait convenir : « Tu ne me donneras
aucune de tes filles en mariage, ou alors uniquement la
benjamine et l'aînée. » Le sultan ne peut pas donner
aucune de ses filles, car alors la phrase serait vraie. Et
pour une phrase vraie, il doit donner au moins une fille.
Le sultan doit donc donner au moins une de ses filles, ce

qui n'est possible que si la phrase est vraie. Donc il est vrai qu'il en donnera ou bien aucune, ou alors la benjamine et l'aînée. La phrase étant vraie, il est impossible au sultan d'en donner aucune : il devra donc donner la benjamine et l'aînée.

☆ **4** ☆

L'étudiant dit : « Tu ne me donneras pas une photo ou un baiser. » La logique sous-jacente est exactement la même que dans le premier problème : il suffit de substituer « photo » à « fille cadette » et « un baiser » à « fille aînée ».

☆ **5** ☆

L'étudiant pourrait dire : « Tu ne me donneras pas ta photo à moins de me donner aussi un baiser. » On retrouve la logique à l'œuvre dans le deuxième problème.

☆ **6** ☆

Ici, la logique est différente de tout ce que nous avons pu voir dans les problèmes précédents de ce chapitre.

L'étudiant peut dire : « Tu me donneras à la fois ta photographie et un baiser, ou alors aucun des deux. » Supposons que la jeune fille lui donne la photo. Si elle ne lui donne pas également un baiser, la phrase est fausse. Or elle a dit qu'elle ne donnerait pas de photo pour une phrase fausse. Donc, si elle donne la photo, elle est forcée d'y ajouter un baiser.

Supposons maintenant qu'elle ne lui donne pas la photo. Si elle ne lui donne pas non plus de baiser, la phrase est vraie, mais dans ce cas elle doit donner la photo ! Ainsi, si elle ne donne pas sa photo, elle doit à nouveau lui donner un baiser. Si donc elle a le choix entre donner ou non sa photo, dans tous les cas, elle doit lui donner un baiser.

☆ **7** ☆

Cette question est : « Répondrez-vous *oui* à cette question ? » Si vous répondez *oui*, vous affirmez que *oui* est votre réponse et vous dites vrai ! Si vous répondez *non*, alors vous niez que *oui* est votre réponse et à nouveau vous dites vrai ! Ainsi, que vous répondiez *oui* ou *non*, vous dites vrai : vous êtes donc obligé de dire la vérité même si telle n'était pas votre intention !

☆ **8** ☆

Ici, la bonne question sera : « Répondrez-vous *non* à cette question ? »

☆ **9** ☆

Une majorité choisirait l'offre de Robert, se garantissant ainsi la possibilité de gagner vingt dollars, pensant qu'avec l'offre d'Arthur, le maximum garanti ne serait que de dix dollars (en cas de phrase vraie). Cependant, l'offre d'Arthur est de loin la plus intéressante, car il suffit de dire : « Tu ne me donneras ni exactement dix dollars ni un million de dollars. » Si la phrase est vraie, Arthur doit vous payer dix dollars comme promis, mais ce faisant il serait en contradiction avec ce que vous lui avez dit. S'il est contradictoire que la phrase soit vraie, elle doit donc être fausse. Puisqu'il est faux qu'il ne vous donnera ni dix dollars ni un million de dollars, il doit être vrai qu'il vous donnera l'un ou l'autre. Puisqu'il ne peut vous donner exactement dix dollars pour une phrase fausse, il n'a donc d'autre alternative que de vous donner un million ! (Si ceci n'est pas de la coercition, j'aimerais savoir ce que c'est !)

☆ **10** ☆

L'étudiant n'a qu'à dire : « Vous ne me donnerez pas la pièce de cinq cents. » Si cette phrase était fausse, cela signifierait que je lui donnerais cette pièce, ce qui n'est pas possible avec une phrase fausse. Il faut donc que la phrase soit vraie, je ne lui donne donc pas les cinq cents. Mais puisqu'il a prononcé une phrase vraie, je dois cependant lui donner une des deux pièces... mais pas celle de cinq cents : il ne me reste plus qu'à lui donner le dollar.

☆ 11 ☆

Pour m'obliger à lui donner un million, l'étudiant n'aurait eu qu'à se contenter de dire : « Vous ne me donnerez ni les cinq cents, ni le dollar, ni un million. » Par une analyse similaire à celle du problème 9, la phrase doit être fausse... et je dois débourser un million.

# COERCITION
# POUR MAIN DROITE
# OU MAIN GAUCHE

Dans mon précédent livre d'énigmes, *Satan, Cantor et Infinité*, je proposais une série de problèmes à propos d'un pays dont tous les habitants étaient soit droitiers soit gauchers. De plus, tout ce qu'un droitier écrivait de la main droite était vrai, et tout ce qu'il écrivait de la main gauche était faux. Pour un gaucher, c'était l'inverse : tout ce qu'il écrivait de la main gauche était vrai, et tout ce qu'il écrivait de la main droite était faux. En d'autres termes, tout ce qu'une personne écrivait de sa main de prédilection était vrai, et tout ce qu'elle écrivait de l'autre main était faux. En voici quelques problématiques représentatives :

1. Qu'est-ce qui ne peut être écrit que par un gaucher, quelle que soit la main utilisée ?

2. Qu'est-ce qui ne peut être écrit que par un gaucher utilisant sa main droite ?

3. Qu'est-ce qui ne peut être écrit que par un gaucher utilisant sa main gauche ?

Réponses :

1. J'ai écrit ceci de la main gauche.

2. Je suis un droitier qui a écrit ceci de la main gauche.

3. Je suis un gaucher qui a écrit ceci de la main gauche.

Pour les amateurs de problèmes particulièrement difficiles, je combinerai, dans ce chapitre, le scénario que nous venons de voir avec la logique coercitive du chapitre précédent.

Le schéma en sera le suivant : vous écrivez à un habitant de ce curieux pays une lettre qui contient une question à laquelle il faut répondre par *oui* ou par *non*. S'il est possible de répondre à la question, il ou elle le fera, honnêtement de sa main de prédilection, ou par un mensonge de son autre main.

## 1 ☽

Quelle question pourriez-vous rédiger qui obligerait aussi bien un gaucher qu'un droitier à répondre de la main gauche, tout en ayant le choix de répondre *oui* ou *non* ?

## 2 ☽

A quelle question seul un gaucher utilisant sa main droite et répondant *non* peut-il répondre ?

## 3 ☽

Quelle question obligerait votre interlocuteur à mentir ?

## 4 ☽

Quelle question pourriez-vous rédiger pour déterminer si la personne est droitière ou gauchère ?

## 5 ☽

Quelle question vous permettrait de savoir si votre interlocuteur est un homme ou une femme ?

6 🌙

A quelle question seule une femme pourrait-elle répondre aussi bien *oui* que *non*?

7 🌙

Quelle question obligerait une personne, indifféremment droitière ou gauchère et utilisant n'importe quelle main, à répondre *non*?

8 🌙

Quelle question ne trouverait de réponse chez aucun habitant de ce pays?

9 🌙

Quelle question pourriez-vous poser, à laquelle seul un homme droitier ne pourrait répondre que par *non* de la main gauche?

☆

# SOLUTIONS

☆ 1 ☆

Vous pourriez demander : « Êtes-vous un gaucher qui répondra *oui* à cette question, ou un droitier qui répondra *non*? » Vous demandez si l'une des alternatives suivantes est la bonne :

(1) « Vous êtes gaucher et répondrez *oui*. »
(2) « Vous êtes droitier et répondrez *non*. »

Il existe quatre cas possibles : il répond honnêtement *oui*; il répond malhonnêtement *oui*; il répond honnêtement *non*; il répond malhonnêtement *non*.

Premier cas : il répond honnêtement *oui*. Dans ce cas, l'une des deux alternatives ci-dessus est la bonne. La réponse étant oui, il ne peut donc s'agir de la seconde. S'agissant donc de la première alternative, il est gaucher, et puisqu'il répond honnêtement, il a utilisé sa main gauche.

Deuxième cas : il répond malhonnêtement *oui*. Aucune des deux alternatives ne tenant alors, surtout pas la première, il doit alors être droitier (puisque s'il était gaucher, compte tenu qu'il a répondu oui, l'alternative 1 tiendrait). Donc, il est droitier et a répondu malhonnêtement : il a donc utilisé sa main gauche.

Troisième cas : il a honnêtement répondu *oui*. Une fois encore, aucune des alternatives 1 et 2 ne tient, en particulier pas la seconde. Cependant, étant donné qu'il a répondu *non*, il ne peut être droitier et est donc nécessairement gaucher. Il a répondu honnêtement et a donc utilisé sa main gauche.

Quatrième cas : il répond malhonnêtement *non*. Dans ce cas, une des deux alternatives tient. Ce ne peut pas être la première. S'agissant donc de la seconde, il est par conséquent droitier et a répondu malhonnêtement de la main gauche.

Dans les quatre cas possibles, la personne a répondu de la main gauche.

☆ 2 ☆

Vous pourriez demander si l'une des trois alternatives suivantes tient :

> (1) « Vous répondrez *oui* de la main que vous utilisez le moins souvent, votre main faible. »
>
> (2) « Vous répondrez *non* de votre main habituelle. »
>
> (3) « Vous êtes gaucher et répondrez *non* de votre main droite. »

Supposons que la réponse soit *oui*. Si elle est honnête, une des trois alternatives est juste, mais il ne peut s'agir ni de la première, ni de la troisième (puisqu'une réponse honnête ne peut être donnée de la main faible), ni la seconde (puisque la réponse était *oui*). Il y a donc contradiction. C'est pourquoi une réponse *oui* honnête n'est pas possible. Mais une réponse *oui* malhonnête est également impossible, puisqu'elle impliquerait, d'un côté qu'aucune des alternatives ne tient, alors que d'un autre côté une réponse *oui* malhonnête signifiant un *oui* écrit de la main faible correspondrait à l'alternative 1. Qu'en est-il d'une réponse *non* honnête ? Elle signifierait qu'aucune des trois alternatives ne tient, alors que la deuxième doit tenir ! Ainsi une réponse *non* honnête est éliminée. Il nous reste donc une réponse *non* malhonnête, ce qui correspond visiblement à l'alternative 3.

### ☆ 3 ☆

« Répondrez-vous *non* à cette question ? » (Je laisse au lecteur le soin de la démonstration).

### ☆ 4 ☆

« Répondrez-vous avec votre main droite ? » (La réponse *oui* indique un droitier, et la réponse *non* est le signe d'un gaucher).

### ☆ 5 ☆

« Êtes-vous un homme qui répondra de sa main forte ou une femme qui répondra de sa main faible ? » Un homme répondra *oui*, que ce soit honnêtement ou *non*, tandis qu'une femme répondra de la même façon *non*.

### ☆ 6 ☆

Une bonne question serait : « Êtes-vous une femme qui répondra *oui* de sa main forte ou *non* de sa main faible, ou un homme, qui répondra *oui* de sa main faible ou *non* de sa main forte ? »
Je laisse au lecteur le soin de faire la démonstration.

### ☆ 7 ☆

« Répondrez-vous de votre main faible ? »

☆ **8** ☆

« Me répondrez-vous *non* de votre main forte ou *oui* de votre main faible ? »

☆ **9** ☆

Demandez si l'une des alternatives suivantes tient :
(1) « Vous répondrez *oui* de votre main faible. »
(2) « Vous répondrez *non* de votre main forte. »
(3) « Vous êtes un homme droitier qui répondra de la main gauche. »
La démonstration est similaire à celle de la solution au problème 2.

# LA LOGIQUE COERCITIVE ABSOLUE

## I ⊚ Le summum de la logique coercitive

Imaginez que je vous offre un million de dollars pour répondre honnêtement à une question par *oui* ou par *non*, accepteriez-vous mon offre ? Vous auriez intérêt à y réfléchir à deux fois avant d'accepter, car que diriez-vous si je vous posais la question suivante : « Me répondrez-vous *non* à cette question ou bien me donnerez-vous deux millions de dollars ? » La seule façon de répondre honnêtement est de le faire par l'affirmative et de me donner deux millions de dollars (pour l'argumentation, je renvoie le lecteur à l'analyse de la question de Shéhérazade dans le problème 125, Livre I).

Supposons maintenant que je vous offre un million de dollars pour répondre par *oui* ou par *non*, avec la faculté de me répondre honnêtement ou non, c'est-à-dire que, selon votre bon vouloir, vous pouvez me dire la vérité ou me mentir. Dans ce cas, vous ne courez aucun risque, n'est-ce pas ? Comment de simple mots pourraient-ils en effet vous obliger à me donner de l'argent, alors que vous n'êtes même pas obligé de me répondre avec honnêteté ? Pourquoi ne pourriez-vous répondre, comme vous l'entendez, soit *oui* soit *non*, et ensuite refuser de me payer ? Est-il possible de prendre encore moins de risques ?

Alors, vous êtes partant ? Vous feriez bien de vous méfier ! (Regardez la solution !!!)

### 2 ☽ UNE VARIANTE

(A ne lire qu'après avoir vu la solution au problème précédent.)

Je pourrais vous poser une question, différente de celle donnée dans la solution du précédent problème, telle que la seule façon de remplir les conditions de l'offre (que vous répondiez *oui* ou *non* et que votre réponse soit vraie ou fausse) est de répondre ou bien malhonnêtement *oui*, ou bien honnêtement *non*, et telle que, dans les deux cas, vous me devrez deux millions de dollars. Quelle pourrait être cette question ?

### 3 ☽ UNE AUTRE VARIANTE

Je pourrais vous poser une autre question telle que si vous ne me payez pas deux millions de dollars, ni votre réponse *oui* ni votre réponse *non* ne pourront être vraies ou fausses, mais en revanche telle que si vous me payez, votre réponse *oui* pourra être aussi bien vraie que fausse sans qu'il y ait contradiction et que l'on puisse distinguer si c'est l'un ou l'autre, ce qui se vérifiera également pour votre réponse *non* ! Donc vous pourriez me répondre honnêtement *oui* et me payer, ou me répondre malhonnêtement *oui* et me payer, ou alors me faire une réponse *non* honnête et me payer ou encore une réponse *non* malhonnête et me payer, mais si vous ne me payiez pas, vous ne pourriez me répondre ni *oui*, ni *non*, que votre réponse soit honnête ou non.

Quelle pourrait être cette question ?

☆

# SOLUTIONS

## ☆ I ☆

L'idée est de formuler une question de telle façon que si vous ne me payez pas deux millions de dollars, quelle que soit votre réponse *oui* ou *non*, celle-ci ne puisse être ni vraie ni fausse sans impliquer une contradiction qui la rendrait paradoxale ! Ainsi, la seule façon d'éviter une réponse paradoxale est de me payer deux millions de dollars.

Rappelez-vous, vous ne deviez pas me répondre simplement *oui* ou *non*, il fallait aussi que votre réponse soit vraie ou fausse ! Bien sûr, vous pouvez me répondre au hasard et ne pas me payer les deux millions de dollars, mais si je pose la bonne question, vous ne pouvez pas répondre honnêtement ou malhonnêtement sans me payer les deux millions. Quelle serait donc cette fameuse question ? Avant de vous donner la solution, il pourra être instructif d'étudier un problème légèrement plus simple : quelle question pourrais-je vous poser à laquelle il vous serait impossible de répondre *oui* ou *non*, que vous me disiez la vérité ou que vous me mentiez, le simple fait d'y répondre étant paradoxal (le lecteur préférera peut-être essayer de résoudre ceci avant de continuer plus loin sa lecture).

Ce pourrait être : « A cette question, répondrez-vous ou bien honnêtement *non*, ou alors malhonnêtement *oui* ? » Ce que je demande ici, c'est si l'une ou l'autre des deux alternatives suivantes tient :

    (1) Vous répondrez honnêtement *non*.
    (2) Vous répondrez malhonnêtement *oui*.

Supposons que vous répondiez *oui*. Cette réponse pourrait-elle être honnête ? Si elle l'est, alors l'alternative 1 ou l'alternative 2 tient (comme vous l'avez affirmé), mais la première n'étant pas possible (puisque vous avez répondu *oui*), la seconde est donc la bonne et vous avez malhonnêtement répondu *oui*, contrairement à l'hypothèse qui voulait que la réponse soit honnête. Il est donc logiquement impossible que votre réponse *oui* soit honnête. Et si votre réponse *oui* était malhonnête ? Dans ce cas, la seconde alternative est la bonne. La première comme la seconde alternative étant bonnes, cela signifie qu'après tout votre réponse *oui* était honnête ! Il est donc tout aussi contradictoire de penser que votre réponse *oui* pouvait être malhonnête ! Donc si vous répondez *oui*, votre réponse n'est ni honnête ni malhonnête, mais uniquement paradoxale. Donc vous ne pouvez répondre *oui*, que ce soit honnêtement ou non.

Pouvez-vous honnêtement répondre *non* ? Si vous le faites, l'alternative 2 tient, donc l'une ou l'autre des deux alternatives tient et votre réponse *non* était malhonnête ! Voila donc encore une contradiction, et vous ne pouvez répondre honnêtement *non*. Qu'en est-il d'une réponse *non* malhonnête ? Dans ce cas, la première alternative ne tiendrait pas, et puisque vous n'avez pas répondu *oui*, la seconde ne tient pas non plus, donc ni la première ni la seconde ne tiennent… ce qui signifie qu'après tout votre réponse *non* était honnête. C'est pourquoi il est tout aussi contradictoire de penser que votre réponse *non* pouvait être malhonnête. Ainsi, ni la réponse *oui* ni la réponse *non* ne peuvent être vraies ou fausses : elles sont nécessairement paradoxales toutes les deux !

Modifiée comme suit, la question précédente peut induire une réponse *non* paradoxale, mais uniquement si vous me payez deux millions de dollars : « Répondrez-vous ou bien honnêtement *non* ou malhonnêtement *oui* à ma question, ou me payerez-vous deux millions de dollars ? » Ce que je vous demande, c'est si l'une des trois alternatives suivantes tient :

(3) Vous répondrez honnêtement *non* à cette question.

(4) Vous répondrez malhonnêtement *oui*.

(5) Vous me payerez deux millions de dollars.

Supposons que vous répondiez *oui*. Vous affirmez donc qu'une de ces trois alternatives tient. Si votre réponse *oui* était malhonnête, d'un côté aucune des alternatives ne tiendrait (puisque vous avez menti en affirmant qu'une d'elles tenait), mais d'un autre côté, l'affirmation 4 tiendrait, ce qui est contradictoire. Votre réponse *oui* ne peut donc être malhonnête, par là même elle doit être vraie (en supposant que vous respectiez les termes de l'offre et que vous répondiez soit honnêtement soit malhonnêtement), ce qui signifie qu'une des trois alternatives tient. De toute évidence, ce ne peut être la troisième (puisque vous avez répondu *oui*) ni la quatrième (puisque vous avez honnêtement répondu *oui*), la seule façon pour que votre *oui* soit honnête est donc que l'alternative 5 tienne, ce qui signifie que vous me devez deux millions de dollars (si vous ne me les payez pas, votre *oui* ne pourra ni être honnête ni malhonnête, mais seulement contradictoire !).

Supposons maintenant que vous me répondiez *non*. Si votre réponse est honnête, d'un côté aucune des alternatives ne tient (comme vous l'avez correctement annoncé en disant *non*), mais de l'autre, l'alternative 3 tient, ce qui est contradictoire. Votre réponse *non* ne peut donc être honnête (en supposant que vous respectiez les conditions de l'offre), ce qui signifie qu'une des trois alternatives tient. La seule qui tienne dans ce cas est l'alternative 5, et une fois encore, vous me devez deux millions de dollars.

En résumé, vous avez le choix entre répondre honnêtement *oui*, et me payer, ou me faire une réponse *non* malhonnête et me payer (là encore, si vous ne me payez pas, votre réponse ne pourra ni être honnête ni malhonnête, mais seulement contradictoire).

☆ 2 ☆

La question pourrait être la suivante : « Allez-vous me répondre ou bien honnêtement *non* sans me payer deux millions de dollars, ou bien malhonnêtement *oui* sans me payer deux millions de dollars ? »
L'une des deux alternatives suivantes tient-elle ? :

(1) Vous allez répondre *non* honnêtement et ne pas me payer deux millions de dollars.

(2) Vous allez répondre *oui* malhonnêtement et ne pas me payer deux millions de dollars.

Nous allons partir du principe que votre réponse est honnête ou malhonnête.

Supposons que vous répondiez *oui*. Si votre réponse était honnête, nous aurions une contradiction (d'un côté, les deux alternatives sont justes mais, dans ce cas, aucune ne peut convenir), votre réponse est donc malhonnête. Donc ni l'alternative 1 ni l'alternative 2 ne sont valables. Et donc, si la seconde ne tient pas, vous me devez deux millions de dollars (car si vous ne me les payez pas, cette seconde alternative tiendrait !).

Supposons que vous répondiez *non*. Si votre réponse était fausse, d'un côté les deux alternatives conviendraient, d'un autre aucune ne pourrait cependant convenir, ce qui est contradictoire. Votre réponse étant donc honnête et aucune des deux alternatives n'étant acceptable, puisque la première ne tient pas, vous devez me payer (car si vous ne le faisiez pas, cette même alternative tiendrait).

Ainsi, avec cette question, vous n'avez le choix qu'entre une réponse *oui* malhonnête ou une réponse *non* honnête (contrairement à la question précédente à laquelle vous deviez répondre honnêtement *oui* ou malhonnêtement *non*), et dans les deux cas... vous devez payer.

### ☆ 3 ☆

On pourrait vous demander : « Allez-vous répondre honnêtement *oui* à la question et me payer deux millions de dollars, ou répondre malhonnêtement *non* et ne pas me payer, ou répondre honnêtement *non* et ne pas me payer ou répondre malhonnêtement *non* et me payer ? » Je laisse au lecteur le soin de la démonstration.

# LES MENTEURS VARIABLES

Quittons maintenant la logique coercitive et passons à d'autres choses.

## 1

Il existe de nombreuses énigmes ayant pour sujet l'île des Paladins et des Gredins, les premiers disant toujours la vérité, les seconds mentant sans cesse et tout habitant de cette île étant soit un Paladin soit un Gredin. Nous allons aujourd'hui faire la connaissance d'une île particulièrement intéressante sur laquelle, chaque jour, chaque habitant soit ment pendant toute la journée, soit dit la vérité pendant toute la journée. Un habitant peut mentir certains jours et dire la vérité les autres jours, mais pour toute la durée d'une journée, son comportement sera constant.

Prenons Jal qui ne ment que les lundis et dit donc la vérité les autres jours de la semaine. Un jour, il a affirmé : « Aujourd'hui, nous sommes lundi et je suis marié. » Étions-nous véritablement lundi ? Est-il vraiment marié ?

## 2

Selon une autre version de cette histoire, Jal n'a pas dit : « Aujourd'hui, nous sommes lundi *et* je suis marié », mais « Nous sommes lundi aujourd'hui, ou je suis marié » (*ou* signifiant au moins l'un ou peut-être les deux[1]). Si cette version est correcte, Jal est-il marié ou non, et sommes-nous vraiment lundi?

### 3

Il existe encore une troisième version, proche de la première, mais possédant néanmoins une subtile différence. Au lieu d'affirmer en une fois : « Aujourd'hui, nous sommes lundi et je suis marié », Jal a d'abord dit « Aujourd'hui, nous sommes lundi ». Un peu plus tard, durant la même journée, il a affirmé : « Je suis marié. » Que penser de cette version?

### 4

Qu'est-ce que Jal ne pourrait dire que le mardi?

### 5

Il se trouve que Jal a un frère, Tak, qui ne ment que le jeudi. Un jour, un des frères dit : « Demain, nous sommes mardi. » Une semaine plus tard, il dit : « Je mentirai demain. » Quel jour de la semaine était-ce?

### 6

Selon une autre version de l'histoire, quand l'un des frères eût dit : « Demain, nous sommes mardi », c'est *l'autre* frère qui, une semaine plus tard, annonça : « Je mentirai demain. » Si cette version est la bonne, quel jour de la semaine était-ce?

---

1. Ceci est la façon dont *ou* est utilisé en logique ou en informatique. Dans le langage courant, le mot *ou* est parfois utilisé dans un sens exclusif, l'un et non l'autre, et parfois dans un sens inclusif, signifiant l'un mais peut-être aussi l'autre. Par exemple, si je dis que demain j'épouserai Ethel ou Gertrude, il est évident qu'il s'agit de l'une sans l'autre. Mais si le guide d'une école indique que les candidats doivent avoir fait un an de mathématiques ou un an de langue étrangère, cette école ne vous refusera certainement pas si vous avez fait les deux! Dans ce livre, *ou* est utilisé au sens de « au moins un et peut-être les deux ».

### 7 ☽

Un jour, l'aîné dit : « Je suis Jal. » Puis l'autre frère dit : « Je suis Tak. » Lequel des deux est le plus âgé ?

### 8 ☽

Sur cette île, à chaque habitant $A$ correspond un habitant $A'$ qui dit la vérité les jours où $A$ ment, et uniquement ces jours-là. En d'autres termes, les jours où $A$ ment, $A'$ dit la vérité, et les jours où $A$ dit la vérité, $A'$ ment, le comportement de $A'$ étant toujours l'inverse de celui de $A$.

De plus, sur cette île, il existe, pour tout habitant $A$ et $B$, un habitant $C$ qui dit la vérité tous les jours où $A$ et $B$ disent tous les deux la vérité, et seulement ces jours-là ($C$ mentant les jours où au moins un des deux – que cela soit $A$ ou $B$ – ment). Selon une rumeur, personne dans cette île ne dirait la vérité tous les jours. Cette rumeur est-elle fondée ?

☆

## SOLUTIONS

☆ 1 ☆

Si nous étions n'importe quel jour autre que lundi, Jal ne pourrait mentir et dire que l'on est lundi et qu'il est marié. Il a donc bien parlé un lundi. Il s'ensuit que cette phrase doit être fausse. Et s'il était marié, la phrase serait vraie (puisque nous étions véritablement lundi). Or elle est fausse, donc il n'est pas marié. La phrase a été prononcée un lundi, mais Jal n'est pas marié, et la phrase est fausse dans son ensemble.

☆ 2 ☆

Supposons que la seconde version soit la bonne. Dans ce cas, si la phrase a été prononcée un lundi, il serait exact soit que nous sommes lundi, *soit* que Jal est marié. Jal ne pouvant dire une telle chose vraie le lundi, nous devons donc être un *autre* jour que lundi. Puisqu'il est vrai que soit nous sommes lundi soit Jal est marié, et que nous ne sommes pas lundi, alors nous pouvons en déduire que Jal est marié (encore une fois si nous considérons cette deuxième version comme étant la bonne).

Nous noterons que les conclusions de la deuxième version contredisent celles de la première ! Dans la première, nous sommes lundi et Jal n'est pas marié. Dans la deuxième, nous ne sommes pas lundi et Jal est marié !

☆ 3 ☆

Quant à la troisième version, elle est tout simplement fausse ! Aucun jour de la semaine Jal ne pourrait dire que l'on est lundi, puisque le lundi il ne dit que des mensonges (et ce serait la vérité), et que les autres jours il ne dit que la vérité (et ce serait un mensonge).

Alors que l'affirmation simple, « Aujourd'hui, nous sommes lundi », est inenvisageable, l'affirmation composée « aujourd'hui, nous sommes lundi *et* je suis marié » est possible (à condition que Jal ne soit pas véritablement marié).

Ceci illustre une importante et intéressante différence entre la logique du mensonge et celle de la vérité : si une personne honnête affirme que le contenu de deux propositions est vrai, elle peut également le faire pour les deux propositions séparément. Mais il n'en va pas de même pour un menteur, si l'une des propositions est fausse et l'autre vraie.

☆ 4 ☆

L'affirmation « Aujourd'hui, nous sommes jeudi » ne tient pas, parce que Jal pourrait aussi bien le dire le jeudi que le lundi. Une affirmation possible serait : « Aujourd'hui, nous sommes lundi ou jeudi. » Jal ne pourrait dire cela un lundi, puisque ce serait vrai. Et s'il le disait un autre jour que le lundi ou le jeudi, ce serait faux, alors que Jal est honnête ces jours-là : il n'a donc pu prononcer ces paroles que le jeudi, sans mentir.

☆ 5 ☆

Dire que demain est un mardi revient à annoncer qu'aujourd'hui nous sommes lundi, ce que, comme nous l'avons vu, Jal ne peut avoir dit. C'est pourquoi le frère en question doit être Tak. Ce dernier ne pourrait avoir dit cela qu'un lundi (honnêtement) ou un jeudi (en mentant). Le même jour, Tak a dit qu'il mentirait le lendemain. Les seuls jours où il a pu dire cela sont le mercredi (honnêtement) ou le jeudi (en mentant). Donc ce jour n'était pas un lundi mais un jeudi (et Tak a menti à chaque fois).

☆ 6 ☆

Supposons que cette version soit la bonne et que ce soit donc Tak qui dise que demain est un mardi, le jour où il dit cela étant soit un lundi soit un jeudi. Mais Jal ayant, le même jour de la semaine, dit : « Je mentirai demain » et les seuls jours où Jal pourrait dire cela étant le dimanche (honnêtement) ou le lundi (en mentant), ce jour doit donc être un lundi.

☆ 7 ☆

Si une affirmation est vraie, l'autre doit l'être aussi, parce que les deux affirmations sont ou toutes les deux vraies ou toutes les deux fausses. Les deux frères ne mentant jamais le même jour, elles ne peuvent être toutes les deux fausses. Elles sont donc vraies et Jal est l'aîné.

☆ 8 ☆

Prenez n'importe quel habitant $A$. Il existe alors un habitant $A'$ dont les habitudes mensongères sont toujours opposées à celles de $A$. Par la seconde condition (prenant $A'$ pour $B$), il y a un habitant $C$ qui dit la vérité les seuls jours où $A$ et $A'$ disent la vérité tous les deux. $A$ et $A'$ ne disant jamais la vérité le même jour, on peut en conclure que $C$ ne dit jamais la vérité! Or si $C$ ment tous les jours, il y a dans ce cas un habitant $C'$ dont le comportement est quotidiennement l'inverse de celui de $C$. Donc $C'$ dit la vérité tous les jours... et la rumeur est fausse.

# CHINOISE OU JAPONAISE ?

Un informaticien avait mis au point une remarquable série de machines capables de donner des réponses correctes à toutes les questions auxquelles il fallait répondre par *oui* ou par *non* qu'on leur posait. Les machines répondaient par le clignotement d'une lumière verte ou rouge, l'une d'elles signifiant *oui*, l'autre *non*.

Fabriquées en Chine ou au Japon, ces machines ne l'étaient malheureusement pas de manière uniforme : les unes répondaient *oui* par la lumière verte et *non* par la rouge, le système étant inversé pour celles fabriquées dans l'autre pays.

Pour ajouter à la confusion, on ne pouvait pas identifier le pays producteur des machines répondant *oui* par le vert.

Supposons maintenant que vous entriez en possession de l'une de ces machines et que vous cherchiez à savoir si elle a été fabriquée en Chine ou au Japon. Vous n'êtes autorisé à lui poser qu'une seule question à laquelle il faut répondre par *oui* ou par *non*. Quelle question lui poseriez-vous ?

### 2 ☾

Supposons qu'au lieu de vouloir connaître l'origine de votre machine, vous vouliez savoir laquelle de la machine chinoise et de la machine japonaise répond *oui* par une lumière verte. Quelle unique question nécessitant une réponse par *oui* ou par *non* pourriez-vous poser à la machine ?

### 3 ☾

Supposons que vous cherchiez uniquement à savoir laquelle des deux couleurs signifie *oui* pour votre machine et laquelle signifie *non*. Quelle question nécessitant une réponse par *oui* ou par *non* vous donnerait la réponse ?

### 4 ☾

Quelle question nécessitant une réponse par *oui* ou par *non* obligerait la machine, quelle que soit son origine, à répondre par la lumière rouge ?

### 5 ☾

Par quelle question nécessitant une réponse par *oui* ou par *non* obtiendriez-vous des machines chinoises un clignotement rouge et des machines japonaises un clignotement vert ?

### 6 ☾

Quelle question nécessitant une réponse par *oui* ou par *non* pourriez-vous poser aux machines qui les mettrait dans l'impossibilité de répondre, par le rouge comme par le vert ?

### 7 ☾

Il est une question à laquelle les machines, dont le clignotement vert signifie *oui*, pourraient répondre aussi bien par le rouge que par le vert, mais à laquelle les machines dont ce même clignotement signifie *non* ne pourraient pas répondre du tout. Quelle pourrait-elle être ?

### 8 ☽

La première série de machines fabriquées dans ces deux pays étant devenue rarissime, il s'agit aujourd'hui de pièces de collections très précieuses. Quelle question nécessitant une réponse par *oui* ou par *non* pourriez-vous poser à votre machine pour déterminer s'il s'agit ou non d'une pièce de collection ?

### 9 ☽

Supposons que vous entriez dans un magasin pour acheter l'une de ces machines. « Il ne m'en reste plus que trois, vous dit le vendeur en les posant sur le comptoir, malheureusement, l'une d'elle possède un vice de construction et fait clignoter ses lumières rouges et vertes totalement au hasard, et j'ignore quelles sont les bonnes machines ! » Or il est possible, en posant à l'une de ces machines une seule question nécessitant une réponse par *oui* ou par *non*, d'en trouver une dont vous serez sûr. Quelle pourrait être cette question ?

☆

## SOLUTIONS

### ☆ 1 ☆

Une bonne question serait : « Les machines chinoises répondent-elles *oui* par le vert ? » Supposons que la machine vous réponde par le vert. Il y a alors deux possibilités : ce vert signifie *oui* ou *non*. Supposons que ce soit *oui*. Dans ce cas, puisque nous savons qu'elle répond correctement, il est vrai que les machines chinoises répondent *oui* par le vert, et puisque votre machine a clignoté en vert en signifiant *oui*, elle doit être chinoise. Supposons d'un autre côté que la machine ait dit *non* en clignotant en vert. Dans ce cas, il n'est pas vrai que les machines chinoises répondent *oui* par le vert, au contraire, elles disent *non*. En clignotant alors en vert pour signifier non, votre machine annonce que cette fois encore elle est d'origine chinoise. Ceci prouve que, quelle que soit la signification du clignotement vert, si votre machine clignote en vert, elle a été fabriqué en Chine. Une analyse similaire, dont nous laissons le soin au lecteur, montre qu'une réponse rouge aurait indiqué que la machine était japonaise.

☆ 2 ☆

La question pourrait être : « Avez-vous été fabriquée en Chine ? »

Supposons qu'elle vous réponde par le vert. Si le vert signifie *oui*, elle a véritablement été fabriquée en Chine, donc les machines chinoises répondent *oui* par le vert. Mais si le vert signifie *non*, alors votre machine n'a pas été fabriquée en Chine, elle vient du Japon et les machines qui répondent *non* par le vert sont japonaises. A nouveau, ce sont les machines chinoises qui répondent oui par le vert. Donc, si vous obtenez un clignotement vert en réponse, quelle que soit la signification de cette couleur, ce sont les machines chinoises qui répondent *oui*. Une analyse similaire révèle que si vous obtenez un clignotement rouge, ce sont les machines japonaises qui répondent *oui* par le vert.

☆ 3 ☆

La solution est si évidente que, souvent, on n'y pense même pas ! Demandez simplement si deux et deux font quatre. La couleur qui clignotera doit signifier *oui*.

☆ 4 ☆

Demandez : « Le rouge signifie-t-il *oui* ? » Si le rouge de la machine signifie *oui*, elle clignotera en rouge. Si le rouge signifie *non*, alors *non* sera la réponse à votre question et la machine clignotera à nouveau en rouge. Dans tous les cas, la machine répondra par le rouge.

☆ 5 ☆

Nous revenons ici pour l'essentiel au problème 1 : demandez simplement à la machine si les machines chinoises répondent *oui* par le rouge. La machine chinoise répondra par le rouge et la japonaise par le vert.

☆ 6 ☆

Demandez : « Est-ce que la couleur par laquelle vous répondez à cette question signifie *non* ? » Si la couleur par laquelle la machine répond signifie *non*, la machine ne peut répondre correctement par cette couleur. D'un autre côté, si la couleur de la réponse signifie *oui*, la réponse est encore fausse ! La machine ne peut donc répondre correctement à cette question.

☆ 7 ☆

Demandez : « Allez-vous répondre à cette question par le vert ? »
Supposons que le vert signifie *non*. Dans ce cas, les réponses verte et rouge seraient toutes les deux fausses. D'un autre côté, si vert signifie *oui*, des clignotements vert ou rouge indiqueraient tous deux des réponses correctes à la question.

☆ 8 ☆

Une bonne question serait : « Clignotez-vous en vert lorsqu'on vous demande si vous êtes une pièce de collection ? » Supposons que la machine réponde par le vert. Si le vert signifie *oui*, la machine clignotera vraiment en vert quand on lui demandera si elle est une pièce de collection : elle en est donc véritablement une. D'un autre côté, si le vert signifie *non*, la machine ne clignotera pas en vert quand on lui demandera si elle est une pièce de collection, mais en rouge. Or cette couleur signifiant *oui*, la machine est donc à nouveau une pièce de collection. Donc, quelle que soit la signification du vert, l'utilisation de cette couleur dans la réponse signifie que la machine est une pièce de collection. Une analyse similaire révélera qu'une réponse rouge indiquerait que la machine n'est pas une pièce de collection.

Une autre question possible serait : « Est-il vrai ou bien que vous êtes une pièce de collection et que votre vert signifie *oui*, ou alors que vous n'êtes pas une pièce de collection et que votre vert signifie *non* ? »

☆ **9** ☆

Appelons les machines *A*, *B* et *C*. Demandons à *A* : « Lorsqu'on vous demande si *B* est bonne, clignotez-vous en vert ? » Supposons que *A* clignote en vert. Si *A* elle-même est bonne, *B* doit être bonne (pour des raisons identiques à celles de la solution précédente), et si *A* n'est pas bonne, alors, bien sûr, *B* est bonne. Donc, que *A* soit bonne ou non, une réponse verte signifie que *B* est un bon choix. Par une analyse similaire, une réponse rouge signifie que *C* est un bon choix.

# ORON ET SETH

Il est une galaxie lointaine, dans laquelle deux planètes seulement tournent autour du soleil : Oron, habitée par les Oroniens, et Seth, habitée par les Séthiens. Ces peuples sont tous deux d'une grande intelligence et capables de voyager d'une planète à l'autre.

Le problème est qu'à chaque fois qu'un habitant d'une planète atterrit sur l'autre planète, il est totalement désorienté et toutes ses convictions se révèlent fausses ! Lorsqu'il retourne à sa planète d'origine tout rentre dans l'ordre.

## 1 ☾

Voici pour nous mettre en appétit : un jour, un habitant de l'une de ces planètes était convaincu d'être un Oronien en visite sur Seth.

Était-il oronien ou séthien, et sur quelle planète se trouvait-il ?

## 2 ☾

Quelle est l'affirmation qui peut être acceptée par les habitants des deux planètes, quelle que soit la planète sur laquelle ils se trouvent à ce moment-là ?

### 3 ☾

On raconte qu'un habitant de l'une de ces planètes a dit un jour : « Je pense que je ne suis pas sur ma planète d'origine en ce moment. »
Est-ce possible ?

### 4 ☾

Les mariages entre Oroniens et Séthiens étant monnaie courante, il arrive donc qu'un mari et sa femme ne se trouvent pas sur la même planète. Un jour, un homme parlant par radiotéléphone à sa femme qui se trouvait sur l'autre planète lui dit : « Après tout nous sommes tous deux oroniens. » Ce que sa femme nia avec véhémence. Lequel était sur Oron à ce moment-là ?

### 5 ☾

Og et Belinda forment un couple mixte, l'un est oronien, l'autre séthien. A un moment, Og croyait que lui et sa femme étaient sur des planètes différentes, alors qu'au même instant Belinda pensait le contraire. Qui avait raison ?

### 6 ☾

« Êtes-vous oronien ou séthien ? » demanda-t-on un jour à Tak.
– Je suis oronien, répondit-il.
– Et votre femme ?
– Oh, ma femme et moi sommes tous deux séthiens.
– Hum ! » se dit son interlocuteur.
Tak est-il oronien ou séthien ? Et sa femme ? Sur quelle planète cette étrange conversation s'est-elle donc tenue ?

### 7 ☾

Un jour, interviewant une femme célèbre de l'une de ces planètes, on lui demanda : « Parlez-nous de vos parents. D'où viennent-ils ? »

« Mon père est oronien et ma mère séthienne », répondit-elle.

Quelques semaines plus tard, on lui posa la même question alors qu'elle se trouvait sur l'autre planète. Elle répondit que ses parents formaient un couple mixte.

Son père est-il oronien ou séthien ? Et sa mère ?

### 8  UN MÉTAPUZZLE

Un jour, un crime fut commis sur l'une des deux planètes. Tout en ignorant si le criminel était oronien ou séthien, on savait en revanche qu'il s'appelait Murdoch. Lorsque le procès eut lieu, le juge, le jury et le greffier se trouvaient sur leur planète d'origine. Il n'y avait qu'un accusé, mais on ne savait pas s'il était oronien ou séthien, ou même s'il s'agissait de Murdoch. Le juge lui demanda : « Êtes-vous séthien ou oronien, et êtes-vous Murdoch ? » Le compte rendu d'audience n'est malheureusement pas clair quant à la réponse, qui fut ou bien « Je suis séthien mais je ne suis pas Murdoch » ou alors « Je suis oronien mais je ne suis pas Murdoch », le greffier ne se rappelant pas de la réponse exacte. De toute façon, le juge savait maintenant si l'accusé était Murdoch. Était-ce lui ?

☆

## SOLUTIONS

### ☆ 1 ☆

Visiblement il s'agissait d'un Séthien qui se trouvait sur Oron.

### ☆ 2 ☆

L'affirmation « Je suis en ce moment sur ma planète d'origine » pourrait convenir.

### ☆ 3 ☆

Sur aucune de deux planètes, ni un Oronien ni un Séthien, où qu'ils se trouvent, ne pourront jamais croire qu'ils ne se trouvent pas sur leur planète d'origine. Par contre, l'un ou l'autre pourrait faussement croire qu'il en est convaincu (puisqu'il ne le croit pas). Il est donc possible qu'un habitant ait prononcé cette phrase !

### ☆ 4 ☆

Si l'un était séthien et l'autre oronien, ils ne pourraient être en désaccord soit parce qu'ils seraient tous deux sur leur planète d'origine et justes dans leurs convictions, soit parce qu'étant tous deux hors de leur planète d'origine, leurs convictions seraient réciproquement faussées. Or ils ne sont pas d'accord : tous les deux sont donc soit oroniens soit séthiens. Dans le premier cas, le mari a raison, et il doit être sur Oron (étant oronien). Dans le second cas, sa femme a raison, étant séthienne, elle doit donc être sur Seth. Dans les deux cas, le mari est sur Oron et la femme sur Seth.

### ☆ 5 ☆

S'agissant d'un couple mixte en désaccord, mari et femme doivent être sur la même planète. Belinda a donc raison.

### ☆ 6 ☆

Ayant apparemment « perdu la boule » à ce moment-là, Tak était donc hors de sa planète et ses deux réponses étaient fausses. C'est pourquoi il n'est pas oronien comme il le prétend, mais séthien. Dans ce cas, puisqu'il est faux que sa femme et lui sont tous les deux séthiens, elle doit être oronienne. Et finalement, puisqu'il n'est pas sur sa planète d'origine, il est sur Oron.

### ☆ 7 ☆

Chaque déclaration ayant été faite sur une planète différente, l'une doit être vraie et l'autre fausse. Si la première est fausse, la seconde doit l'être aussi, ce qui n'est pas possible. Donc la première déclaration doit être fausse et la seconde vraie. Comme la seconde est vraie, ses parents doivent vraiment former un couple mixte. La première déclaration étant fausse, son père doit donc être séthien et sa mère oronienne.

☆ **8** ☆

La solution ne dépend pas du lieu dans lequel se tient le procès. Supposons pour l'instant que cela se passe sur Seth. Supposons que l'accusé ait dit être séthien et ne pas s'appeler Murdoch. S'il est séthien, sa déclaration est correcte et il n'est réellement pas Murdoch ; mais s'il est oronien, sa déclaration est fausse, indépendamment du fait qu'il s'appelle ou non Murdoch, sans qu'il soit possible de connaître la vérité à ce sujet. C'est pourquoi s'il a dit qu'il était séthien, mais pas Murdoch, le juge ne peut pas savoir s'il a affaire à Murdoch. Par ailleurs, s'il dit qu'il était oronien mais qu'il n'est pas Murdoch, le juge sait qu'il doit être oronien (puisqu'aucun Séthien ne pourrait dire cela sur Seth). Sa déclaration est donc fausse et il s'agit nécessairement de Murdoch. Puisque le juge sait, l'accusé a dû dire qu'il était oronien mais pas Murdoch ce qui a permis au juge d'en conclure qu'il était oronien et qu'il s'agissait de Murdoch.

Par un raisonnement symétrique, si le procès a eu lieu sur Oron, il a fallu que l'accusé dise qu'il était séthien mais qu'il ne s'appelait pas Murdoch (autrement, le juge n'aurait pas su s'il était Murdoch) pour que le juge comprenne qu'il était séthien... et qu'il s'agissait de Murdoch.

En résumé, nous ne pouvons pas savoir sur quelle planète le procès a eu lieu, ni ce que l'accusé a dit. En revanche, nous savons que l'accusé a dit qu'il habitait l'autre planète mais qu'il n'était pas Murdoch. En réalité, il était bien de l'autre planète, mais il s'agissait de Murdoch.

# QUELLE PERSONNALITÉ ?

Frères jumeaux, Jack et John souffrent tous deux d'un dédoublement de la personnalité. Alors que, dans son état normal, Jack dit toujours la vérité, dans son état pathologique, il ment systématiquement. Pour John, c'est l'inverse : dans son état normal, il ment toujours, dans son état pathologique, il dit toujours la vérité. Il est impossible de les distinguer l'un de l'autre par l'apparence extérieure, leur mère étant la seule personne à y parvenir. Ceci est à l'origine de plusieurs problèmes fort intéressants.

### 1 ☾

Supposons que vous rencontriez un jour l'un des frères et que vous souhaitiez savoir s'il s'agit de Jack ou de John. Vous êtes autorisé à lui poser une seule question à laquelle il peut répondre par *oui* ou par *non*, une question simple, c'est-à-dire sans connecteur logique comme *et, ou, ne pas, si… alors*. Quelle est cette question ?

### 2 ☾

Une autre fois, vous rencontrez l'un des frères et vous voulez savoir, non pas s'il s'agit de Jack ou de John, mais s'il est dans son état normal ou pathologique. Quelle question simple, à laquelle il peut répondre par *oui* ou par *non*, pourrait vous permettre de déterminer son état ?

### 3 🌙

Supposons qu'au lieu de vouloir connaître l'état d'un jumeau, vous vouliez savoir si les deux frères sont dans le même état. Quelle question simple, à laquelle il peut répondre par *oui* ou par *non*, poseriez-vous ?

### 4 🌙

Si vous rencontrez l'un des jumeaux, la manière de savoir s'il est dans son état normal est évidente. Il suffit de lui demander si deux et deux font quatre. Supposons que vous ne désiriez pas savoir si lui-même est honnête, mais si son frère l'est. Par quelle question simple, à laquelle il peut répondre par *oui* ou par *non*, y parviendrez-vous ?

### 5 🌙

Un jour, l'un des frères, restant dans le même état du matin au soir, ne prononça qu'une phrase : « Demain, je serai dans mon état pathologique. » Le lendemain, étant dans le même état toute la journée, il dit : « Hier, je ne disais pas la vérité. » S'agit-il de Jack ou de John ?

### 6 🌙

Un jour, un médecin, accompagné de la mère des jumeaux, rendit visite à l'un des frères. S'il ignorait s'il avait affaire à Jack ou à John, il savait en revanche dans quel état se trouvait son patient. La mère savait de quel fils il s'agissait, mais ignorait tout de son état. L'homme dit alors : « Je suis John et je suis en ce moment dans mon état pathologique. » Le docteur ne pouvait toujours pas dire s'il s'agissait de Jack ou de John tandis la mère continuait à ignorer dans quel état il était. S'agissait-il de Jack ou de John et dans quel état était-il ?

☆

# SOLUTIONS

### ☆ 1 ☆

Il suffit de demander : « Êtes-vous dans votre état normal ? » Dans son état normal, Jack dira honnêtement *oui*, dans son état pathologique, il mentira en répondant *oui*. John, dans son état normal, dira honnêtement *non*, dans son état pathologique, il mentira en répondant *non*. Donc si l'homme répond *oui*, c'est Jack, et s'il dit *non*, il s'agit de John.

### ☆ 2 ☆

Il suffit de demander : « Êtes-vous Jack ? » Dans leur état normal, les frères répondront tous deux *oui* (Jack dira la vérité, John mentira), et tous les deux diront *non* dans leur état pathologique (Jack mentira et John dira la vérité). La réponse *oui* indiquera donc que l'homme est dans son état normal, un *non* signifiera qu'il ne l'est pas.
Il y a une belle symétrie entre ce problème et le précédent : pour savoir s'il s'agit de Jack, vous lui demandez s'il est dans son état normal, tandis que pour savoir s'il est dans son état normal, vous lui demandez s'il est Jack.

### ☆ 3 ☆

Demandez-lui : « Votre frère dit-il la vérité en ce moment ? » S'il vous répond honnêtement *oui*, l'autre frère est vraiment honnête en ce moment et ils sont donc dans des états différents. S'il ment en disant *oui*, son frère n'est pas honnête en ce moment. A nouveau, ils sont dans un état différent puisqu'ils mentent tous les deux. La réponse *oui* indique donc qu'ils sont dans un état différent.
Par une analyse similaire nous pouvons voir qu'une réponse *non* indique qu'ils sont dans le même état (l'un ment et l'autre non).

☆ 4 ☆

Demandez : « Êtes-vous en ce moment dans le même état que votre frère ? » Supposons qu'il réponde *oui*. S'il dit la vérité, son frère est donc réellement dans le même état, c'est-à-dire qu'il n'est pas honnête. En revanche, s'il ment, son frère est maintenant dans un état différent, c'est-à-dire qu'il ment également. Une réponse *oui* révèle donc que le frère n'est pas honnête en ce moment. Par une analyse similaire, une réponse *non* indique que le frère dit la vérité en ce moment.

Nous retrouvons entre ce problème et le précédent la symétrie qui existait entre les deux premiers problèmes : entre les deux questions « Votre frère dit-il la vérité en ce moment ? » et « Êtes-vous dans le même état que votre frère ? », il faut, pour obtenir la réponse à l'une des questions, poser l'autre.

☆ 5 ☆

Supposons que le second jour il ait dit la vérité. Dans ce cas, ce qu'il a dit le premier jour était faux, ce qui signifie qu'il était vraiment dans son état normal le second jour. Or, comme ce jour là il était honnête, il s'agit de Jack.

D'un autre côté, supposons que le second jour il ait menti. Dans ce cas, il était honnête le premier jour et était donc vraiment dans son état pathologique le second jour. Dans ce cas, il s'agit encore de Jack (puisqu'il a menti dans son état pathologique). Dans tous les cas, il s'agit de Jack.

☆ 6 ☆

Une chose est claire : dans son état normal, Jack n'aurait jamais pu prétendre être John dans son état pathologique. Par conséquent, si le médecin savait que l'homme était dans son état normal, il devait aussi savoir que l'homme, ne pouvant être Jack, était forcément John. Mais puisque le docteur l'ignorait, l'homme devait donc être dans son état pathologique. D'un autre côté, si la mère avait identifié son fils Jack, elle aurait su qu'il était dans son état pathologique puisqu'il disait une chose visiblement fausse. Comme elle l'ignorait, elle devait donc savoir qu'il s'agissait de John. La réponse est donc qu'il s'agissait de John dans son état pathologique (et il disait la vérité).

# OH NON !

Il existe des jumeaux encore plus curieux, dénommés Edward et Edwin, qu'il est tout aussi impossible de distinguer par leur aspect extérieur. Arrivés à l'âge adulte, ils furent frappés d'une étrange maladie qui changea leur vie pour toujours.

Dès lors, tous deux se trouvent alternativement dans trois états psychologiques différents, l'état 1, l'état 2 ou l'état 3, qui se succèdent immuablement : 1, 2, 3, 1, 2, 3... et ainsi de suite.

Assez curieusement, à tout moment, les frères se trouvent toujours dans le même état : ils sont tous les deux dans l'état 1, ou dans l'état 2 ou dans l'état 3. Avec cependant une différence énorme : Edward ment toujours quand il est dans l'état 1 et dit la vérité dans les deux autres états, alors qu'Edwin ment dans l'état 2 et dit la vérité dans les états 1 et 3.

## I

Un jour, rencontrant les deux frères au cours d'une promenade, l'un me dit : « Je suis Edward. » L'autre dit alors : « Je suis Edwin. » Il n'y eut pas de changement d'état entre ces deux affirmations. Lequel était Edward : celui qui parla en premier ou celui qui parla en second ?

## 2 🌙

Lors d'une autre rencontre, l'un me dit : « Je suis Edward. » L'autre (qui n'avait pas changé d'état) dit alors : « Si cela est vrai, alors je suis Edwin. » Plus tard, je me rendis compte qu'ils n'étaient pas dans l'état 3 à ce moment-là. Lequel était Edward ?

## 3 🌙

Un jour, l'un des frères dit : « Je suis le dernier à avoir menti. » Puis son frère (qui n'avait pas changé d'état) dit la même chose. Dans quel état étaient-ils à ce moment ?

## 4 🌙

Un jour, Edward fit les deux déclarations suivantes :
> (1) « Dans mon dernier état, j'ai menti. »
> (2) « Je mentirai dans mon état suivant. »

Edward n'avait pas changé d'état entre ces deux déclarations. Dans quel état était-il ?

## 5 🌙

Un jour, un des frères affirma : « Je suis Edward et je suis en ce moment dans l'état 1. » De qui s'agissait-il ?

## 6 🌙

Une autre fois, un des frères dit : « Ou je suis Edward ou je suis dans l'état 2. » (Rappelez-vous : « ou » peut signifier au moins l'un des deux ou peut-être les deux.) Qui était-ce ?

## 7 🌙

Une autre fois encore, l'un des frères dit : « Ou je suis Edward ou je suis en train de mentir. » Qui était-ce, et disait-il la vérité à ce moment-là ?

### 8

Un jour, on demanda à l'un des frères : « Êtes-vous Edwin dans l'état 2 ou Edward dans un état autre que l'état 1 ? » La réponse permettra-t-elle de déterminer de quel état il s'agit ? Permettra-t-elle en outre d'en déduire s'il s'agit d'Edward ou d'Edwin ?

### 9

Supposons qu'un jour vous rencontriez l'un des frères et que vous vouliez déterminer dans quel état il se trouve. Vous n'y parviendrez pas avec une seule question à laquelle il peut répondre par *oui* ou par *non* : il en faudra deux. Quelles sont ces deux questions ?

### 10

Supposons qu'un jour vous rencontriez les deux frères. Il existe une question unique à laquelle ils peuvent répondre par *oui* ou par *non*, telle que si vous la leur posez à tour de rôle, elle vous permettra de savoir dans quel état ils sont (à condition qu'ils n'aient pas changé d'état entre les deux réponses).
Quelle est-elle ?

### 11

Un jour, l'un des frères perdit une montre en argent. Elle fut retrouvée par un voisin qui la lui rapporta. Lorsqu'il demanda à qui elle appartenait, l'un des frères répondit : « à Edward ». Et l'autre frère ajouta : « Je suis Edward. » Il n'y avait pas eu de changement d'état entre les deux réponses et les deux frères n'étaient pas dans l'état 3 à ce moment-là. La montre appartenait-elle au premier ou au second jumeau ?

### 12

Quelqu'un raconte qu'un jour, rendant visite aux deux frères, l'un d'eux lui avait dit : « Nous sommes en ce moment dans l'état 1. » Et que l'autre avait ajouté : « Ce qu'il vient de dire est vrai. » Cette histoire tient-elle debout ? (Attention, il y a une astuce !)

### 13 ☽

Un jour, un logicien, rencontrant l'un des frères, lui demanda : « Êtes-vous en ce moment dans l'état 1 ? » Le frère lui ayant répondu *oui* ou *non*, le logicien en déduisit à qui il avait affaire.
Était-ce Edward ou Edwin ?

### 14 ☽

A quelle question nécessitant une réponse par *oui* ou par *non*, les deux frères, dans les trois états, donneront-ils toujours des réponses opposées ?

### 15 ☽

Un des frères est marié et l'autre ne l'est pas. Abordant une fois l'un des frères, je lui demandai s'il était marié. Il me répondit : « Celui de nous deux qui est marié se trouve en ce moment dans un état de mensonge. »
Quelle est la probabilité pour que celui à qui j'ai parlé soit marié ?

### 16 ☽

Une autre fois, je rencontrai l'un des frères (je ne savais pas lequel, ni s'il s'agissait du même que lors de la fois précédente) et lui demandai à nouveau s'il était marié. Il me répondit : « Celui qui est marié se trouve en ce moment dans un état où il dit la vérité. »
Quelle est la probabilité pour que celui-ci soit marié ? (Je pars du principe que les trois états sont équiprobables et qu'il y a autant de chances pour que j'aie parlé à Edward ou à Edwin.)

### 17 ☽ Un autre métapuzzle

L'un des deux frères était un espion et l'autre pas. Il y eut un procès afin de déterminer lequel espionnait. La Cour s'assura d'abord de leur identité, mais on ne sait pas dans quel état ils se trouvaient à ce moment-là. Le juge interrogea d'abord Edward : « Êtes-vous l'espion ? » Edward répondit par l'affirmative. Puis le juge interrogea Edwin : « Et vous, êtes-vous l'espion ? » Edwin répondit *oui* ou *non*, et le juge sut dès lors lequel il devait condamner (il présumait avec raison qu'il n'y avait pas eu de changement d'état entre les deux réponses). Quel frère est l'espion ?

☆

## SOLUTIONS

☆ 1 ☆

Si le premier est vraiment Edward, le second est vraiment Edwin, et si le premier n'est pas réellement Edward, le second ne sera pas réellement Edwin. En résumé ou bien ils ont tous les deux dit la vérité, ou alors ils ont tous les deux menti. Comme il n'y a pas d'état dans lequel ils mentent tous les deux, ils ont par conséquent tous les deux dit la vérité : le premier est donc Edward.

☆ 2 ☆

Visiblement le second a fait une déclaration vraie, et comme ils n'étaient pas dans l'état 3, l'autre a menti. Il s'agissait en réalité d'Edwin.

☆ 3 ☆

Les seuls états dans lesquels Edward pourrait dire cela sont les états 1 et 2. Les seuls états dans lesquels Edwin pourrait dire cela sont les états 2 et 3. Donc, ils sont dans l'état 2.

☆ 4 ☆

La première déclaration d'Edward ne pourrait être faite que dans les états 1 ou 2. Sa seconde déclaration ne pourrait être faite que dans les états 1 ou 3. Donc il se trouve dans l'état 1.

☆ 5 ☆

Edward ne pourrait dire cela dans aucun état. En effet comme il ne dit pas la vérité dans l'état 1 et que dans l'état 2 il ne ment jamais en disant qu'il est dans l'état 1, il s'agit donc d'Edwin. Ce dernier a menti et se trouve dans l'état 2.

☆ 6 ☆

Edwin ne pourrait dire cela dans aucun état, parce que dans l'état 1 ou dans l'état 3 (les états où il dit la vérité), il n'est ni Edward, ni dans l'état 2. Par contre, dans son état de mensonge, il est vrai qu'il pourrait affirmer être ou Edward ou dans l'état 2 (puisqu'il est alors dans l'état 2) : il ne ferait donc pas une déclaration vraie. C'est pourquoi cette personne est Edward (dans l'état 2 ou l'état 3, on ne peut déterminer lequel).

☆ 7 ☆

S'il mentait, il serait vrai ou bien qu'il est Edward ou bien qu'il se trouve dans un état de mensonge. Mais une déclaration vraie ne peut être faite dans un état de mensonge. C'est pourquoi, il se trouve dans un état d'honnêteté. Puisque sa déclaration est vraie soit il est Edward soit il est dans un état de mensonge. Comme nous savons maintenant qu'il n'est pas dans un état de mensonge, nous en déduisons qu'il s'agit d'Edward.

☆ 8 ☆

Vous ne pouvez pas dire dans quel état il est, mais vous pouvez dire qui il est.

Supposons qu'il réponde *oui*. S'il est dans un état d'honnêteté, il est réellement ou Edwin dans l'état 2 ou Edward dans un état autre que 1. Mais, il ne peut être Edwin dans l'état 2 (son état de mensonge) ; donc il doit s'agir d'Edward, mais dans un état autre que 1. D'un autre côté, s'il a menti, contrairement à ce qu'il a dit, il n'est ni Edwin dans l'état 2 ni Edward dans un état autre que 1 ; il est donc soit Edwin dans un état autre que 2 (donc un état où il dit la vérité) soit Edward dans l'état 1. Or il ne peut être Edwin dans un état autre que 2, puisqu'il a menti : il s'agit donc d'Edward dans l'état 1. Ceci prouve que s'il répond *oui*, il doit être Edward (peut-être dans l'état 1, peut-être pas).

Supposons maintenant qu'il réponde *non*. Si sa réponse est honnête, il n'est ni Edwin dans l'état 2, ni Edward dans un état autre que 1 ; donc il est soit Edwin dans un état autre que 2, soit Edward dans l'état 1. Mais il ne peut être Edward dans l'état 1 puisqu'il a dit la vérité : il s'agit donc d'Edwin (mais pas dans l'état 2). Par ailleurs, s'il a menti, il s'agit soit d'Edwin dans l'état 2 soit d'Edward dans un état autre que 1. Cette dernière alternative n'étant pas envisageable (puisqu'Edward, quand il n'est pas dans l'état 1, ne ment pas) : ainsi, il s'agit d'Edwin dans l'état 2. Si la réponse est *non*, on peut donc en déduire qu'elle a été formulée par Edwin.

### ☆ 9 ☆

On peut d'abord déterminer s'il est dans l'état 1 en demandant : « Seriez-vous Edwin actuellement dans l'état 1 ou dans l'état 2 ? »
Voici les réponses que vous obtiendrez :

| | |
|---|---|
| Edward, état 1 – Oui | Edwin, état 1 – Oui |
| Edward, état 2 – Non | Edwin, état 2 – Non |
| Edward, état 3 – Non | Edwin, état 3 – Non |

C'est pourquoi, si vous obtenez la réponse *oui*, vous saurez qu'il est dans l'état 1. Vous n'aurez alors pas besoin de lui reposer une question. Si vous obtenez la réponse *non*, vous saurez qu'il est dans l'état 2 ou l'état 3, sans pouvoir dire lequel. Pour savoir s'il est dans l'état 2, demandez : « Êtes-vous Edward, qui se trouve en ce moment dans l'état 1 ou dans l'état 2 ? » Par une analyse similaire, vous verrez que s'il répond *oui*, il est dans l'état 2, tandis que s'il répond *non*, il ne l'est pas… et se trouve donc dans l'état 3.

☆ 10 ☆

Une question très simple vous permet de résoudre le problème : « Êtes-vous Edward ? » Voici les réponses possibles :

| | |
|---|---|
| Edward, état 1 – *Non* | Edwin, état 1 – *Non* |
| Edward, état 2 – *Oui* | Edwin, état 2 – *Oui* |
| Edward, état 3 – *Oui* | Edwin, état 3 – *Non* |

Si vous obtenez la réponse *non, non*, tous deux sont, par conséquent, dans l'état 1. Si vous obtenez *oui, oui*, ils sont dans l'état 2. Si vous obtenez un *oui* et un *non*, ils sont dans l'état 3 (auquel cas vous saurez, de plus, qu'Edward est celui qui a répondu *oui*).

☆ 11 ☆

Étant donné qu'ils n'étaient pas dans l'état 3, l'un d'eux a dit la vérité et l'autre a menti. Supposons que le premier se soit montré honnête, Edward est alors le véritable propriétaire de la montre, mais comme le second a menti, Edward était le premier, c'est donc le premier qui en est le propriétaire. Supposons maintenant que le premier ait menti, alors Edward n'est pas le vrai propriétaire de la montre, puisque le second dit la vérité et affirme être Edward. Dans tous les cas, celui qui a parlé en premier est bien le propriétaire de la montre

☆ 12 ☆

Oui, la situation est possible, mais seulement s'il y a eu un changement d'état entre les deux affirmations !
Pour commencer, Edward ne peut être l'auteur de la première affirmation, car s'il était dans l'état 1, ils seraient tous les deux dans l'état 1 et son affirmation serait alors vraie, ce qui pour Edward est impossible dans

l'état 1. D'un autre côté, si Edward n'était pas dans l'état 1, il serait honnête et n'irait pas affirmer qu'ils sont dans l'état 1. Donc Edwin est l'auteur de cette première affirmation. Il était alors soit dans l'état 1 et a dit la vérité, soit dans l'état 2. Dans ce cas, il a menti.

Supposons qu'il était dans l'état 1. Alors Edward était dans le même état. S'il n'avait pas changé d'état entre les deux affirmations, il n'aurait jamais été d'accord avec l'affirmation vraie d'Edwin. Ayant donc ensuite changé pour l'état 2 il a honnêtement reconnu qu'Edwin avait raison lorsqu'il disait ce qu'il disait. Donc, si Edwin était dans l'état 1 lorsqu'il parlait, Edward a changé d'état avant de parler.

D'un autre côté, qu'en serait-il si Edwin avait été dans l'état 2 lorsqu'il parlait ? Il aurait alors menti et Edward se trouvait donc aussi dans l'état 2. Mais qu'il ait ou non changé pour l'état 3, Edwin n'aurait jamais menti en disant qu'Edward avait raison. Voilà donc un cas que nous pouvons éliminer d'office !

En résumé, Edwin a fait une première affirmation en étant dans l'état 1, tous les deux ont alors changé pour l'état 2 et Edward a honnêtement confirmé l'affirmation d'Edwin.

☆ 13 ☆

Dans quelque état qu'il soit, Edward répondrait *non*. Edwin répondrait *oui* dans les états 1 et 2 et *non* dans l'état 3. Le *non* indiquerait donc qu'il peut s'agir aussi bien d'Edward que d'Edwin, tandis que le *oui* désignerait uniquement Edwin. La réponse ayant indiqué au logicien de qui il s'agissait, celui qui l'a donnée devait être Edwin et avoir répondu *oui* (et être aussi dans l'état 3). C'est ce que l'on appelle un métapuzzle.

☆ 14 ☆

De nombreuses solutions sont possibles, telle la question suivante : « Êtes-vous Edward et actuellement dans l'état 3 ? » Dans les états 1, 2 et 3, Edward répondrait respectivement, *oui*, *non*, *oui*, tandis que pour Edwin ce serait, respectivement, *non*, *oui*, *non*.

☆ 15 ☆

La probabilité est nulle ! S'il se trouvait dans un état d'honnêteté à ce moment-là, le frère marié était vraiment dans un état de mensonge et n'a donc pas pu faire cette réponse. D'un autre côté, si celui qui a répondu était à cet instant dans un état de mensonge, le frère marié n'était alors pas dans cet état-là, et là encore n'aurait pas pu donner cette réponse.

☆ 16 ☆

Nous avons dans ce cas 5 chances sur 6 pour que l'orateur soit marié. Voici pourquoi : l'orateur est, à probabilité égale, dans les états 1, 2 ou 3. La probabilité pour qu'il soit ou bien dans l'état 1, ou dans l'état 2, ou dans l'état 3 est de 2/3 ou, ce qui revient au même, de 4/6. S'il est soit dans l'état 1, soit dans l'état 2, il est obligatoirement le frère marié, parce que son comportement face à la vérité s'oppose alors à celui de son frère. Ainsi, si celui qui vous répond est honnête, celui qui est marié est alors vraiment dans un état d'honnêteté, comme cela ne peut être son frère qui est dans un état de mensonge, il s'agit nécessairement de votre interlocuteur. D'un autre côté, si celui qui vous parle est dans un état de mensonge, son affirmation est fausse et celui qui est marié n'est pas réellement dans un état d'honnêteté. S'il est donc dans un état de mensonge, il s'agit alors de votre interlocuteur (puisque son frère est honnête à ce moment-là). Ceci prouve que si celui qui vous a répondu est dans l'état 1 ou dans l'état 2, il est obligatoirement le frère marié.

Considérons maintenant qu'il est dans l'état 3, puisque nous avons une chance sur 3 pour que cela arrive. Les deux frères sont alors honnêtes en même temps et ce que l'on vous a répondu est vrai ; donc le frère marié est vraiment dans un état d'honnêteté, mais ce peut être aussi bien votre interlocuteur que son frère, à probabilités égales. Si l'orateur est dans l'état 3, la probabilité pour qu'il s'agisse du frère marié est donc de 1/2. En conséquence, la probabilité pour que votre interlocuteur soit à la fois dans l'état 3 et marié est de 1/2 × 1/3, ce qui donne 1/6.

En résumé, les probabilités pour que l'orateur soit dans l'état 1 et marié, dans l'état 2 et marié, dans l'état 3 et marié sont respectivement de 1/3, 1/3 et 1/6 ; la probabilité pour qu'il soit marié est donc de 1/3 + 1/3 + 1/6 = 2/6 + 2/6 + 1/6 = 5/6.

## ☆ 17 ☆

Supposons qu'Edwin ait répondu oui. Alors, visiblement, l'un mentant et l'autre disant la vérité, il n'y aurait eu, pour le juge, aucun moyen de déterminer lequel mentait, donc lequel était l'espion. D'un autre côté, si Edwin avait répondu non, il aurait été d'accord avec Edward. En conséquence, soit ils ont tous deux menti, soit ont tous deux dit la vérité. Or, comme il n'existe pas d'état dans lequel ils pourraient tous les deux mentir, tous les deux ont donc dit la vérité et le juge a pu en déduire qu'Edward était l'espion. Puisque le juge savait, Edwin doit avoir répondu non, ce qui a alors permis au magistrat de condamner Edward.

# UN PEU DE TOUT :
# TOURS ET JEUX DE LOGIQUE

Nous allons maintenant voir quelques jeux et quelques tours de pure logique, à la fois amusants et instructifs. Si vous avez jusqu'ici résolu les problèmes que je vous proposai dans ce livre, ce chapitre sera une véritable partie de plaisir, un jeu d'enfants !

## I ☽ QUELLE QUESTION ?

Je peux vous poser une question nécessitant une réponse par *oui* ou par *non* à laquelle il vous sera logiquement impossible de répondre, alors que cette question possède une réponse, et, ce qui plus curieux encore, que n'importe qui pourrait correctement y répondre ! Vous êtes la seule personne au monde qui ne puisse absolument pas y répondre correctement !

Quelle pourrait donc être cette question ?

## 2 ☽ UN PEU DE TOUT

Un jour, lors d'une fête d'anniversaire que j'animai pour des enfants, je me rendis à la cuisine où je trouvai trois pêches, trois prunes et trois sacs en papier. Dans un sac, je mis deux pêches ; dans un autre, deux prunes et dans le dernier, je plaçai une pêche et une prune. J'apportai ces trois sacs dans le salon, où étaient rassemblés les invités ; je sélectionnai trois enfants, Andrew, Laura et Richard, et donnai un sac à chacun. J'expliquai alors aux invités qu'un des sacs contenait deux pêches, un autre deux prunes et qu'un autre contenait une pêche et une prune, mais je ne dis pas qui était en possession de quoi. Puis je dis aux trois enfants : «Je veux que chacun d'entre vous jette un coup d'œil dans son sac et dise au public ce qu'il y trouve, mais je veux aussi que vous mentiez tous ! « Voici ce qu'ils dirent :

Andrew : « J'ai deux pêches. »

Laura : « J'ai deux prunes. »

Et Richard : « J'ai une pêche et une prune. »

« Très bien » dis-je. « Vous avez tous menti, comme je vous le demandai. A partir de maintenant, je vous demande de me dire la vérité. »

Distribuant alors papier et crayons aux autres invités, je leur dis : « Imaginez une stratégie qui vous permette de demander successivement à chacun de vos trois camarades de sortir un fruit de son sac et de vous le montrer, jusqu'à ce que vous soyez capable d'en déduire qui détient le sac mixte. Celui qui proposera la stratégie utilisant le moins de questions sera autorisé à l'essayer et, s'il réussit, gagnera un prix. »

Après un petit moment, Élisabeth, une fille très intelligente, proposa une stratégie minimale, qui réussit. Quelle est cette stratégie et combien de questions faut-il poser au minimum ?

### 3 🌙

Je fis ensuite sortir John et Mary pour un aparté. Nous convînmes que l'un jouerait le rôle du menteur et répondrait faussement à toutes les questions qu'on lui poserait, tandis que l'autre répondrait toujours honnêtement. L'un d'eux serrerait aussi une pièce dans son poing fermé alors que l'autre se contenterait de serrer un poing vide. De retour avec eux devant les invités, j'expliquai la situation sans préciser qui était le menteur ni qui détenait la pièce. Le jeu consistait pour les invités à deviner qui détenait cette pièce. L'un d'eux posa une bonne question : « Est-ce que le menteur a la pièce ? » John répondit « Oui ».

Mentait-il ou disait-il la vérité, ou n'est-il pas possible de le dire ? Qui a la pièce ? Est-il impossible de le dire ?

## 4 ☽ LE TOUR DE LA PRÉDICTION

Le tour suivant peut être effectué par n'importe qui et produit toujours beaucoup d'effet ! J'écrivis quelque chose sur un morceau de papier que je pliai et confiai à l'un des garçons pour qu'il le mette dans sa poche (et que je ne puisse plus y toucher). J'expliquai alors : « Je viens de faire par écrit la description d'un événement qui se produira ou ne se produira pas dans cette pièce dans les quinze minutes à venir. Je veux bien parier à deux contre un, avec n'importe lequel d'entre vous, que vous n'arriverez pas à deviner si cet événement aura bien lieu. Qui est partant ? »

Un des garçons dit : « D'accord, je relève le pari. » Lui tendant alors le crayon et du papier, je lui dis : « Si tu penses que l'événement aura lieu, écris *oui*, si tu penses qu'il n'aura pas lieu, dans ce cas, écris *non*. » Il écrivit alors l'un des deux mots – *oui* ou *non* –, sans que je sache lequel. Malgré cela, je savais déjà que j'avais gagné le pari ! Qu'avais-je bien pu écrire qui me rendait si sûr de moi ?

## 5 ☽ UN JEU DE LOGIQUE

Le moment était venu pour moi de distribuer quelques cadeaux. Pour le premier jeu, je posai deux boîtes fermées sur la table et expliquai que chaque boîte contenait soit une carte à jouer rouge, soit une carte noire et aussi qu'une des boîtes contenait un cadeau. Le but était bien évidemment de trouver le cadeau. Sur le couvercle de chaque boîte, j'avais écrit une phrase et j'expliquai que si la carte dans la boîte était rouge, la phrase était vraie, mais que si la carte était noire, la phrase était fausse. Je ne précisai pas combien de cartes étaient rouges. Voici les phrases que j'avais écrites :

| Boîte 1 | Boîte 2 |
|---------|---------|
| Une des cartes est rouge et l'autre est noire. | Le cadeau est dans l'autre boîte. |

Dans quelle boîte le cadeau se trouvait-il ?

## 6 ☽ LA DEUXIÈME DISTRIBUTION

Pour le tour suivant, je plaçai trois boîtes sur la table. L'une d'elles contenait une carte rouge, une autre une carte noire, et la troisième un cadeau mais pas de carte. Sur chaque couvercle était écrite une phrase, et j'expliquai que la phrase de la boîte contenant la carte rouge était vraie, celle de la boîte avec la carte noire était fausse et que la phrase de la boîte contenant le cadeau pouvait être vraie ou fausse. Voici ces phrases :

| Boîte 1 | Boîte 2 | Boîte 3 |
|---------|---------|---------|
| Cette boîte contient le cadeau | La phrase de la boîte 1 est vraie | La boîte 2 contient une carte noire. |

Quelle boîte contenait le cadeau ?

## 7 ☽ UN MÉTAPUZZLE

Pour conclure l'après-midi, je plaçai trois boîtes devant Alice (dont on fêtait l'anniversaire). L'une était emballée de papier rouge, une autre de papier jaune et la dernière de papier bleu. J'expliquai qu'une boîte contenait son cadeau d'anniversaire et que les deux autres étaient vides. Alice devait déterminer quelle boîte contenait le cadeau. Pour cela, elle pouvait me poser toutes les questions qu'elle voudrait, à condition que l'on puisse y répondre par *oui* ou par *non*, et également à condition que je réponde à toutes les questions soit par la vérité soit par un mensonge. Elle désigna d'abord la boîte jaune et me demanda si elle contenait le cadeau. Je répondis par *oui* ou par *non*, ce que je ne vous révélerai pas. Puis, elle demanda si la boîte rouge contenait le cadeau, et à nouveau je répondis par *oui* ou par *non*. Alice, qui est une fille très intelligente, savait à présent quelle était la bonne boîte. Laquelle était-ce et comment Alice avait-elle fait ?

On peut également se poser d'autres questions :

(1) Est-il possible, d'après ce que je vous ai dit, de déterminer si j'ai menti ou dit la vérité ?

(2) Est-il possible, d'après ce que j'ai dit, de déterminer mes réponses ?

(3) Est-il possible de déterminer les réponses que je n'ai pas faites ?

# SOLUTIONS

## ☆ 1 ☆

Voici la question à laquelle je pensais : « Allez-vous répondre *non* à cette question ? » Si vous répondez *oui*, vous affirmez que vous répondez *non*, ce qui n'est pas vrai ! Si vous répondez *non*, vous niez que votre réponse est *non*, ce qui est encore impossible. Donc vous ne pouvez, d'une manière ou d'une autre, répondre correctement !

Une autre personne pourrait cependant répondre correctement à la question. Si par exemple vous refusiez de répondre, la réponse correcte serait donc *non*, et quelqu'un d'autre pourrait la donner. Vous pourriez aussi donner la mauvaise réponse *non*, la bonne réponse serait donc *oui* et quelqu'un d'autre pourrait également la donner.

## ☆ 2 ☆

Une seule question suffit pour déterminer le contenu des trois sacs ! Il faut demander à Richard (qui a faussement prétendu avoir le sac mixte) de montrer un de ses fruits. Supposons qu'il sorte une prune. Vous savez alors que l'autre fruit dans le sac est également une prune (puisque qu'il ne s'agit pas du sac mixte). Il s'ensuit que le sac d'Andrew ne contient pas véritablement deux pêches, comme il l'a faussement affirmé, ou deux prunes (puisqu'il ne peut y en avoir que trois en tout et que Richard en a déjà deux). Andrew doit donc être en possession du sac mixte (Laura détenant donc les deux pêches). Par ailleurs, si Richard vous a montré une pêche au lieu d'une prune, par un raisonnement symétrique, Richard détient deux pêches, Laura le sac mixte et Andrew les deux prunes.

☆ **3** ☆

Il est impossible de dire si John a menti ou s'il a dit la vérité, mais il est possible de dire qui détenait la pièce. Supposons que John ait dit la vérité. Dans ce cas, le menteur détient la pièce ; ce menteur étant Mary, Mary détient donc la pièce. Supposons maintenant que John ait menti. Dans ce cas, il n'est pas vrai que le menteur détienne la pièce, c'est celui qui dit la vérité qui la détient et il s'agit de Mary (puisque John a menti). Dans ce cas, Mary détient encore la pièce. Mary détient donc la pièce, que John ait menti ou non. Il est en revanche impossible de déterminer si John a dit la vérité ou s'il a menti.

☆ **4** ☆

J'ai écrit : « Tu écriras *non*. »
Si le garçon écrit *oui*, il affirme que l'événement va avoir lieu, or il n'aura pas lieu (puisqu'il n'a pas écrit *non*). Par ailleurs, s'il écrit *non*, il indique que l'événement n'aura pas lieu, or il aura bien lieu (l'événement étant qu'il écrirait *non*). Quoi qu'il écrive, c'est toujours faux ! La logique sur laquelle repose ce tour est exactement la même que dans le problème 1 (« Répondrez-vous *non* à cette question ? »).

☆ **5** ☆

Supposons que la carte qui se trouve dans la boîte 1 soit rouge. Dans ce cas, il est vrai qu'une carte est rouge et

l'autre noire, et la carte de la boîte 2 est bien noire.
Supposons que la carte dans la boîte 1 soit noire. La
phrase du couvercle est alors fausse, et il est donc faux
qu'une carte soit rouge et l'autre noire. Puisqu'alors elles
sont toutes deux de la même couleur, la carte de la boîte
2 est donc noire (comme celle de la boîte 1). Ceci prouve que, quelle que soit la couleur de la carte dans la boîte
1, la carte de la boîte 2 est noire. La phrase du couvercle
de la boîte 2 est donc fausse et le cadeau se trouve dans
cette boîte 2.

☆ **6** ☆

La carte rouge pourrait-elle être dans la boîte 1 ? Non,
car si elle s'y trouvait, le cadeau se trouverait dans la
boîte 1 (puisque la phrase serait vraie). Donc, la carte ne
se trouve pas dans la boîte 1. Pourrait-elle se trouver dans
la boîte 3 ? Si elle s'y trouvait, la boîte 2 contiendrait une
carte noire, donc sa phrase serait fausse, donc la phrase
inscrite sur la boîte 1 le serait aussi, et, par conséquent,
le cadeau se trouverait dans la boîte 3 avec la carte rouge,
ce qui n'est pas possible. La carte rouge ne se trouve donc
pas dans la boîte 3 mais dans la boîte 2. Et le cadeau se
trouve dans la boîte 1 (comme l'annonce la phrase inscrite sur la boîte 2).
La boîte 1 contient le cadeau, la boîte 2 la carte rouge et
la boîte 3 la carte noire (puisqu'une phrase fausse affirme
que la carte noire est dans la boîte 2).

☆ **7** ☆

Si l'une de mes réponses avait été *oui* et l'autre *non*, Alice
n'aurait eu aucun moyen de savoir quelle était la bonne
boîte. Supposons en effet que j'aie répondu *oui* à la
première question et *non* à la seconde. Alice saurait que
si j'ai dit la vérité, le cadeau se trouve dans la boîte jaune,
tandis que si j'ai menti, il se trouve dans la boîte rouge,
sans cependant avoir aucun moyen de déterminer la
bonne réponse. Par ailleurs, si j'avais d'abord répondu
*non* puis *oui*, elle ne connaîtrait toujours pas la réponse

(rouge, si j'ai dit la vérité, jaune, si j'ai menti). Or elle le sait : mes deux réponses sont donc identiques.

Supposons que j'aie dit *oui* à chaque fois. Il est alors évident que je mens (puisque le cadeau ne peut être à la fois dans la boîte rouge et dans la jaune) : Alice sait alors qu'il faut prendre la boîte bleue. Supposons maintenant que ma réponse ait été à chaque fois *non*. Comme il ne peut s'agir de deux mensonges (puisqu'alors le cadeau se trouverait encore à la fois dans la boîte rouge et dans la jaune), j'ai donc nécessairement dit la vérité, donc le cadeau ne peut être ni dans la boîte jaune ni dans la boîte rouge : une fois encore, il se trouve nécessairement dans la boîte bleue.

Il vous est impossible de connaître mes réponses ou de savoir si j'ai été honnête. Vous pouvez seulement en déduire que le cadeau est dans la boîte bleue et que je n'ai pas donné deux réponses différentes aux deux questions.

# QUELQUES PROBLÈMES
# TRÈS SPÉCIAUX

## 1 ☾ UN PROBLÈME GÖDELIEN

Nous pourrions qualifier un logicien d'« exact » quand tout ce qu'il démontre est vrai : quand il ne prouve jamais rien de faux.

Un jour, un tel logicien visita l'île des Paladins et des Gredins, sur laquelle tous les habitants sont soit des Paladins, soit des Gredins, les Paladins disant toujours la vérité, les Gredins mentant au contraire sans cesse. Le logicien rencontra un indigène qui prononça des paroles dont on pouvait déduire qu'il s'agissait d'un Paladin, sans qu'il soit possible au logicien de le prouver! Quelles étaient ces paroles?

Note de l'auteur : ce problème est à rapprocher d'un raisonnement célèbre connu sous le nom de « théorème de Gödel ». ainsi que nous l'exposons à la suite de la solution.

## 2 ☾ UNE SUITE

(A ne lire qu'après avoir vu la solution du problème précédent.)

Supposons que l'on nous donne comme information supplémentaire que le logicien peut faire de la logique comme vous et moi. Nous avons prouvé dans la solution du problème précédent que l'indigène était un Paladin. Qu'est-ce qui peut empêcher le logicien de passer par le même raisonnement et d'arriver à la même conclusion, à savoir que l'indigène est un Paladin ? Il arriverait donc à prouver qu'il s'agit d'un Paladin. Or cela viendrait en contradiction avec l'affirmation de l'indigène, faisant ainsi de lui un Gredin. N'avons-nous pas là un paradoxe ?

### 3 ❂ UN AUTRE PROBLÈME GÖDELIEN

Un autre logicien exact, visitant l'île des Paladins et des Gredins, rencontra un indigène qui prononça des paroles révélant qu'il s'agissait d'un Gredin, sans qu'il soit cependant possible au logicien de le prouver. Quelles étaient ces paroles ?

### 4 ❂ UN PROBLÈME DOUBLEMENT GÖDELIEN

Un autre logicien exact visita l'île et rencontra deux indigènes, $A$ et $B$, qui prononcèrent chacun des paroles dont on pouvait logiquement conclure qu'au moins l'un d'eux était un Paladin – ce que ne pouvait prouver le logicien – et qu'il était absolument impossible de dire lequel ! Quelles étaient ces paroles ?

### 5 ❂ UNE MACHINE GÖDELIENNE

Voici une version mécanique de la construction de Gödel, qui en illustre l'essence de façon très instructive. Nous avons un ordinateur qui imprime des propositions construites à partir des symboles suivants : I R N.
Par proposition, il faut entendre toute combinaison de ces trois symboles sous une des quatre formes suivantes (où $x$ représente n'importe quelle combinaison de ces symboles) :

    (1) I$x$       (par exemple, INRNI)
    (2) NI$x$     (par exemple, NIRRN)

(3) RI$x$      (par exemple, RIINRI)

(4) NRI$x$      (par exemple, NRINNIR).

Je vous expliquerai la signification de ces propositions dans un instant.

Une proposition est qualifiée d'imprimable si la machine peut l'imprimer. La machine est programmée de telle façon que, quand elle peut imprimer une proposition, elle finit toujours par l'imprimer.

Et voici la signification des propositions. A titre d'aide mémoire, « I » signifie « imprimable », « N » signifie « non » et « R » signifie « répète » ; par exemple si $x$ = RINI, R$x$ signifie RINIRINI.

> (1) I$x$ signifie que $x$ est imprimable ; par conséquent, I$x$ est qualifié de *vrai* si et seulement si $x$ est imprimable (par exemple, INRI est une proposition vraie si et seulement si NRI est imprimable).
>
> (2) NI$x$ est qualifié de *vrai* si et seulement si $x$ n'est pas imprimable.
>
> (3) RI$x$ signifie que lorsqu'il est répété, $x$ est imprimable : en d'autres termes $xx$ est imprimable (par exemple, RINNR est *vrai* si et seulement si NNRNNR est imprimable).
>
> (4) NRI$x$ signifie l'opposé de RI$x$ : en d'autres termes, $xx$ n'est pas imprimable.

Ceci constitue une définition parfaitement précise de ce que signifie une proposition *vraie*. Nous avons ici une boucle intéressante : cette machine renvoie à elle-même, dans la mesure où elle imprime diverses propositions qui affirment ce que la machine peut ou ne peut pas imprimer ! Il est précisé que la machine est totalement exacte, parce que toute proposition qu'elle imprime est vraie ; elle n'imprime jamais rien de faux ! Ceci implique plusieurs développements : pour toute expression $x$, si la machine peut imprimer I$x$, alors I$x$ est nécessairement *vraie* et $x$ sera imprimée tôt ou tard. Si RI$x$ est imprimable, alors $xx$ sera imprimée tôt ou tard, et si NRI$x$ est imprimable, alors $xx$ ne sera jamais imprimée.

Supposons que $x$ soit imprimable. Peut-on nécessairement en conclure que I$x$ est imprimable ? Le fait que $x$

soit imprimable implique que I$x$ est *vraie*, mais attention : s'il est vrai que toutes les propositions imprimables sont *vraies*, l'inverse ne l'est pas obligatoirement, et nous n'avons aucune raison de penser que I$x$ soit imprimable par le seul fait que I$x$ est *vraie*. En effet, il existe une proposition *vraie* qui n'est absolument pas imprimable et que je vous demande de trouver (un conseil : construisez une proposition qui affirme qu'elle-même n'est pas imprimable, comme le Paladin qui disait que le logicien ne pourrait jamais prouver qu'il était un Paladin).

## 6 🌙 VERSION DOUBLE

Par analogie avec le problème 4, on peut construire deux propositions, $x$ et $y$, telles que $x$ affirme que $y$ est imprimable et $y$ affirme que $x$ n'est pas imprimable, et qu'ainsi l'une est nécessairement vraie, mais non imprimable, sans qu'il soit possible de dire laquelle ! Quelle serait une telle paire de propositions ? (il existe deux solutions à ce problème).

## 7 🌙 CHERCHEZ L'ERREUR

Lors d'une conférence devant une assemblée d'étudiants en logique, j'ai fait l'expérience suivante : je leur montrai deux enveloppes fermées et leur expliquai que l'une d'elles contenait un billet d'un dollar et que l'autre contenait une simple feuille de papier. Il fallait déterminer quelle était l'enveloppe qui contenait le billet. Sur chaque enveloppe était écrite une proposition :

| 1 | 2 |
|---|---|
| Les propositions inscrites sur les deux enveloppes sont fausses. | Le billet est dans l'autre enveloppe. |

J'annonçai que si une personne dans l'auditoire pouvait déterminer où se trouvait le billet, celui-ci lui reviendrait… à condition que la personne prouve la justesse de son affirmation avant d'ouvrir l'enveloppe.

Seriez-vous capable de trouver la solution ? Un étudiant prétendit l'être et me donna l'explication suivante : « Il n'est pas possible que la proposition de l'enveloppe 1 soit vraie car, si elle l'était, les deux propositions seraient fausses (comme le dit la proposition sur l'enveloppe 1) ; la proposition sur l'enveloppe 1 serait donc fausse, ce qui serait contradictoire. C'est pourquoi la proposition sur l'enveloppe 1 est fausse. Comme elle est fausse, il n'est pas vrai que les deux propositions sont fausses ; la proposition sur l'enveloppe 2 est donc nécessairement vraie, et le billet est nécessairement dans l'enveloppe 1, comme le dit la proposition de l'enveloppe 2. L'argent est donc dans l'enveloppe 1. »

« Voilà qui sonne bien, n'est-ce pas ? » demandai-je à l'assistance. Une majorité hocha de la tête affirmativement. « Et bien, ouvrez les enveloppes », dis-je à l'étudiant. Il ouvrit la première enveloppe et n'y trouva pas l'argent ! Il ouvrit la seconde : le billet s'y trouvait.

L'assistance ne parvenait pas à comprendre ce qui n'allait pas dans le raisonnement de l'étudiant. Il était évident que je n'avais pas fait de fausse déclaration, je m'étais contenté de dire que le billet était dans une des enveloppes, et il s'y trouvait bien. Je n'avais donc dit rien de faux. Quelle erreur l'étudiant avait-il faite en raisonnant ? (La réponse fait appel à un principe important de la logique moderne et nous amène tout naturellement à quelques-uns des paradoxes du chapitre suivant.) Quelle est l'explication ?

# SOLUTIONS

## ☆ 1 ☆

L'autochtone a pu dire : « Vous ne pouvez pas prouver que je suis un Paladin. »

Si l'indigène était un Gredin, cette affirmation serait fausse, ce qui signifierait que le logicien pourrait prouver qu'il s'agit d'un Paladin, donc prouver quelque chose de faux, contrairement à la condition de départ qui veut qu'un logicien soit exact et ne prouve jamais rien de faux. L'indigène ne pouvant être un Gredin, il ne peut donc s'agir que d'un Paladin. Puisqu'il s'agit d'un Paladin, ce qu'il a dit est vrai, donc le logicien ne peut pas prouver qu'il est un Paladin. Ainsi, l'indigène est un Paladin et il est impossible au logicien de prouver ce fait !

Discussion : comme nous l'avons fait remarquer, ce problème peut se rattacher aux observations du célèbre mathématicien Kurt Gödel connues sous le nom de « théorème de Gödel ». En 1931, Gödel prit deux des plus puissants systèmes mathématiques connus et montra, à la surprise générale, que pour ces systèmes et toute une famille d'autres systèmes, il existait des propositions, qui bien que vraies, ne pouvaient être prouvées dans le système. Voici le principe sur lequel repose sa démonstration : il a montré comment, pour chacun des systèmes considérés, on pouvait assigner à chaque proposition un nombre – appelé par la suite « nombre de Gödel » – puis construire une proposition $G$ qui affirme qu'un nombre $g$ appartient à un groupe $S$ de nombres. $S$ est uniquement constitué des nombres qui ne sont pas des nombres de Gödel de propositions que l'on peut prouver dans le système, et le nombre $g$ est justement le nombre de Gödel de la proposition $G$! Ainsi, $G$ affirme que son propre nombre de Gödel n'est pas le nombre de Gödel d'une proposition qui puisse être prouvée (dans le système). En d'autres termes, $G$ est vraie si et seulement s'il est impossible de le prouver dans le système (de la même façon que l'indigène de mon problème est un Paladin si et seulement si le logicien ne peut pas prouver qu'il en est un). En admettant que le système soit exact (que seules les propositions vraies peuvent être prouvées), la proposition $G$ est nécessairement vraie mais ne peut être prouvée dans le système.

☆ 2 ☆

Non, il n'y a pas de paradoxe mais, au contraire, une vérité très intéressante ! Je vous ai dit que le logicien pouvait faire de la logique comme vous et moi. Je vous ai également dit que ce logicien était exact, mais je ne vous ai jamais dit qu'il savait qu'il l'était ! En effet, s'il pouvait prouver qu'il était exact (si, pour toute proposition $x$, il pouvait prouver que sa capacité à prouver $x$ impliquait que $x$ soit vraie) il deviendrait inexact, car il pourrait à ce moment-là prouver – comme nous l'avons fait – que l'indigène est un paladin, réfutant alors l'affirmation de l'indigène et faisant ainsi de lui un gredin.

Ceci n'est pas sans rappeler le second théorème de Gödel selon lequel, pour chacun des systèmes de la famille envisagée par Gödel, si le système est cohérent, il ne peut prouver sa propre cohérence.

☆ **3** ☆

L'indigène a pu affirmer : « Vous pouvez prouver que je suis un Gredin. »

Si le logicien avait pu le prouver, l'affirmation du Gredin aurait été juste, ce qui aurait signifié qu'il s'agit d'un Paladin et que le logicien est un mauvais logicien. Dans la mesure où l'on nous dit que le logicien est exact, il ne peut pas prouver que l'indigène est un Gredin. L'affirmation de l'indigène étant donc fausse, il s'agit véritablement d'un Gredin. Ainsi, l'indigène est un Gredin et il est impossible au logicien de le prouver.

☆ **4** ☆

Voici une paire d'affirmations qui conviendrait :

$A$ : « Vous ne pouvez pas prouver que $B$ est un Paladin. »

$B$ : « Vous ne pouvez pas prouver que $A$ est un Paladin. »

Pour commencer, $A$ doit vraiment être un Paladin, parce que s'il était un Gredin, son affirmation serait fausse, ce qui signifie que le logicien pourrait prouver que $B$ est un Paladin. $B$ serait alors vraiment un Paladin (puisque le logicien est exact), et l'affirmation de $B$ serait vraie. Ce qui voudrait dire que le logicien pourrait prouver que $A$ est un Paladin, ce qui serait inexact, puisque $A$ est un

Gredin. Ainsi, puisqu'il est dit que le logicien est exact, il s'ensuit que *A* est un Paladin. Par là même, ainsi que l'a affirmé *A*, il est (et sera toujours) impossible au logicien de prouver que *B* est un Paladin. D'un autre côté, si *B* n'en est pas un, son affirmation est fausse, ce qui signifie qu'il est impossible au logicien de prouver que *A* est un Paladin (même s'il en est vraiment un).

En résumé, *A* est incontestablement un Paladin. *B* pourrait être un Paladin ou un Gredin – il n'est pas possible de trancher. Quoi qu'il en soit, si *B* est un Paladin, il est impossible au logicien de prouver qu'il en est ainsi ; tandis que si *B* est un Gredin, il est impossible au logicien de prouver que *A* est un Paladin.

☆ 5 ☆

Pour toute expression *x*, la proposition NRI*x* affirme que la répétition de *x* ne peut être imprimée. Si nous prenons NRI pour *x*, NRINRI affirme que la répétition de NRI ne peut être imprimée. Or la répétition de NRI est justement la proposition NRINRI ! Et NRINRI est vraie si et seulement si elle ne peut être imprimée. Donc NRINRI est soit vraie et ne peut être imprimée, soit fausse et peut être imprimée. La machine n'imprimant jamais rien de faux, nous pouvons éliminer cette dernière alternative. C'est pourquoi la proposition NRINRI est vraie mais la machine ne peut pas l'imprimer.

Discussion : dans les différents systèmes mathématiques en usage à l'époque de la découverte de Gödel, on supposait que la vérité coïncidait avec la démontrabilité, c'est-à-dire que toute proposition démontrable dans le système était vraie et que toute proposition vraie était démontrable dans le système. La machine décrite dans ce problème est plus qu'un simple jouet, parce que si *S* est n'importe lequel des systèmes mathématiques visés par l'argumentation de Gödel, il est possible de traduire toute phrase *X* du langage de la machine en une proposition *X\** du système de *S* de telle façon que :

(1) *X* est vraie si et seulement si *X\** est une proposition vraie de *S* ;

(2) $X$ peut être imprimée par la machine si et seulement si sa traduction $X^*$ peut être démontrée dans le système de $S$.

Alors, comme NRINRI est vraie mais ne peut être imprimée, sa traduction NRINRI* est vraie mais indémontrable dans le système de $S$! Cette traduction NRINRI* est la célèbre proposition de Gödel qui affirme son propre caractère indémontrable dans le système et – partant du principe que le système est *correct* et que les propositions fausses ne sont pas démontrables – est vraie mais non démontrable dans le système. Gödel a ainsi prouvé que tout système de ce genre était incomplet en ce que toutes les propositions vraies du système ne sont pas démontrables dans celui-ci!

☆ 6 ☆

Nous voulons des propositions $x$ et $y$ telles que $x$ affirme que $y$ peut être imprimée et $y$ affirme que $x$ ne peut pas l'être. Une solution consisterait à prendre $x$ = INRIINRI et $y$ = NRIINRI. Ici, $x$ affirme que NRIINRI ($y$) peut être imprimée et $y$ affirme que la répétition de INRI, c'est-à-dire INRIINRI (donc $x$), ne peut être imprimée. Une autre solution consisterait à prendre $x$ = RINIRI et $y$ = NIRINIRI. Alors $x$ affirme que la répétition de NIRI (donc d'$y$) peut être imprimée, et $y$ affirme que RINIRI (il s'agit de $x$) ne peut pas l'être.

☆ 7 ☆

L'erreur était de présumer que la proposition sur l'enveloppe 1 était soit vraie soit fausse! Or toutes les phrases ne sont pas soit vraies soit fausses. Prenons, par exemple, la célèbre proposition paradoxale « cette proposition est fausse ». Cette proposition ne peut être soit vraie soit fausse sans qu'il n'y ait contradiction (voir le chapitre suivant pour une discussion du problème). Il en va de même avec la proposition de l'enveloppe 1. Si elle était vraie, il y aurait une contradiction logique évidente, étant donné que la seule façon pour qu'elle soit fausse est que l'argent se trouve dans l'enveloppe 1, ce qui n'était pas le cas. C'est pourquoi cette proposition ne pourrait pas non plus être fausse (la proposition sur l'enveloppe 2 est soit vraie soit fausse ; ici elle se trouve être fausse !).

Ceci nous amène tout naturellement au problème des paradoxes.

# D'ÉTRANGES PARADOXES !

Depuis des temps immémoriaux les paradoxes intriguent l'esprit humain. Nous en considérerons quelques-uns, anciens comme nouveaux. L'un des plus anciens et des plus connus est celui du Crétois qui affirme : « Tous les Crétois sont des menteurs. » En fait, pour des raisons que je vous expliquerai, ceci n'est pas véritablement un paradoxe.

En voici une bien meilleure version :

### « UNE PROPOSITION FAUSSE. »

Cette proposition est-elle vraie ou fausse ? Si elle est vraie, ce qu'elle dit est exact, ce qui signifie qu'en vérité elle est fausse, comme le dit la phrase. Mais il y a visiblement une contradiction ! Par ailleurs, si la proposition est fausse, son contenu est inexact, ce qui signifie que la proposition n'est pas véritablement fausse et, à nouveau, nous avons une contradiction. Dans les deux cas, nous avons une contradiction… donc un paradoxe.

La faiblesse de la version crétoise est la suivante : avant tout, que signifie ici réellement le terme « menteur »? Quelqu'un qui ment parfois ou quelqu'un qui ment toujours ? S'il s'agit du premier cas, nous n'avons certainement pas de paradoxe. Partons donc du principe qu'un menteur est quelqu'un qui ment toujours. Aurons-nous alors un paradoxe ? Non. La proposition en elle-même ne peut être vraie (ou nous aurions une contradiction) : elle est nécessairement fausse. Cela signifie que l'orateur ment parfois (puisque sa proposition était fausse), mais également qu'au moins un Crétois dit parfois la vérité. Ceci est la conclusion correcte, et il n'est pas question de paradoxe. De la même façon, si nous avons une personne convaincue que tout ce qu'elle pense est faux, la conclusion correcte n'est pas que cette personne est incohérente mais, de façon plus amusante, que cette pensée est erronée, et qu'ainsi une de ses pensées au moins est juste. Voici une variante que j'adore.

## « VOUS N'AVEZ AUCUNE RAISON DE CROIRE CETTE PROPOSITION. »

Avez-vous ou non des raisons de la croire? Il faut que je vous raconte ici une anecdote amusante. Il y a quelque temps, je donnais une conférence sur les énigmes et les paradoxes dans une université. Quelques instants avant le début de cette conférence, j'entrai dans l'amphithéâtre et inscrivis la phrase ci-dessus au tableau afin de fournir un sujet de réflexion à l'auditoire qui commençait à s'installer. Lorsque je fis mon entrée un peu après, je remarquai un garçon de neuf ans, visiblement très brillant, installé au premier rang. Je tendis le doigt vers la phrase et lui demandai : « Crois-tu cette proposition? » Il me répondit : « Oui ». Je lui demandai alors : « Pour quelle raison? » Il m'abasourdit en me répondant très habilement : « Je n'en ai pas. » Je lui demandai alors : « Mais alors, pourquoi la crois-tu? » Il me rétorqua : « Intuition ». Il avait vraiment été plus malin que moi! Aussi frivoles qu'ils puissent paraître, ces paradoxes sont très proches de sérieux paradoxes qui, au début de ce siècle, ont failli démontrer l'existence d'une incompatibilité entre les mathématiques et la logique! Parmi les travaux sur les fondements des mathématiques, nous avons ceux de Gottlob Frege qui fut en grande partie à l'origine de la théorie des ensembles à partir de l'unique axiome de base selon lequel, étant donné une propriété, il existe un ensemble de toutes les choses qui possèdent cette propriété. Ceci semble assez raisonnable, mais, comme l'a démontré Bertrand Russel, cet axiome apparemment si inoffensif mène en fait à une incohérence : appelons « ordinaire » un ensemble qui n'est pas membre de lui-même. Par exemple, l'ensemble de toutes les personnes n'est pas lui-même une personne, donc cet ensemble est ordinaire. L'ensemble de toutes les chaises est un autre exemple d'ensemble ordinaire. Un ensemble qui est membre de lui-même est qualifié d'« extraordinaire ». Par exemple, on pourrait dire que l'ensemble de tous les ensembles, étant lui-même un ensemble, est membre de lui-même, donc extraordinaire. On pourrait se demander si des ensembles extraordinaires existent véritablement, mais les ensembles ordinaires existent très certainement. Virtuellement, tous les ensembles que nous pouvons imaginer sont ordinaires. Nous pouvons alors, d'après l'axiome de Frege, parler de l'ensemble de tous les ensembles ordinaires : appelons le $Z$. Ainsi, tout membre de $Z$ est un ensemble ordinaire et tout ensemble ordinaire est membre de $Z$. Un ensemble est donc ordinaire si et seulement si il appartient à $Z$. Mais $Z$ est-il ordinaire ou non ? S'il l'est, alors il appartient à $Z$ (puisqu'il en est ainsi de tous les ensembles ordinaires) ; mais l'appartenance de $Z$ à $Z$ en ferait un ensemble extraordinaire ! Il est donc contradictoire de penser que $Z$ soit ordinaire. D'un autre côté, supposons que $Z$ soit extraordinaire. Ceci signifie que $Z$ appartient à $Z$ ($Z$ appartient à lui-même), ce qui n'est pas possible puisque seuls des ensembles ordinaires appartiennent à $Z$ ! Il est donc également impossible que $Z$ soit extraordinaire. Ainsi, que $Z$ soit ordinaire ou non, nous nous trouvons face à une contradiction. Tel est le célèbre paradoxe de Russel. Que pouvons-nous faire de ceci ? Vers 1916, Russel en donna une version populaire, connue sous le nom de « paradoxe du Barbier » : dans une ville, un barbier rase tout les habitants qui ne se rasent pas eux-mêmes, et seulement ceux-là, c'est-à-dire qu'il rase tout habitant de la ville qui ne se rase pas lui-même, mais sans jamais raser aucun des habitants qui le font eux-mêmes. Le barbier se rase-t-il lui-même ? S'il le fait, il est l'un des habitants qui se rasent eux-mêmes, et jamais il ne raserait un tel habitant! Mais s'il ne se rase pas lui-même, il est alors l'un des habitants qui ne se rasent pas eux-mêmes; or le barbier rase toutes ces personnes : il y a donc là à nouveau une contradiction.

Quelle est la solution au paradoxe du barbier? La solution est si évidente que presque tout le monde la néglige! Pour vous aider, supposons que je vous dise qu'un homme fait plus de deux mètres de haut et moins de deux mètres de haut. Comment expliqueriez-vous cela? Votre explication serait que soit je me trompe, soit je mens! Il est évident qu'un tel homme ne peut exister. De même, il ne peut tout simplement exister un tel barbier. C'est aussi simple que cela! Cependant avec le paradoxe de Russel, le problème est plus sérieux, parce qu'il semble intuitivement qu'un ensemble des ensembles ordinaires puisse exister, ce qui, en réalité, est impossible puisque cela nous mènerait à une contradiction! Ainsi, l'axiome fondamental de Frege selon lequel pour toute propriété, il existe un ensemble de toutes les choses possédant cette propriété, tout aussi intuitif qu'il puisse paraître, doit être abandonné. A sa place sont apparues des théories des ensembles avec des axiomes plus faibles et moins élégants, mais probablement conséquents.

Le paradoxe de Russel connaît de nombreuses variantes, dont le paradoxe de Grelling, particulièrement intéressant : au fur et à mesure que les nombres s'accroissent, il faut de plus en plus de mots pour les décrire. Et, pour tout nombre déterminé de mots, il existe toujours un plus petit nombre que l'on ne peut décrire avec moins que ce nombre de mots. Considérons en particulier le nombre ainsi décrit :

« LE PLUS PETIT NOMBRE QUI NE PUISSE ÊTRE DÉCRIT EN MOINS DE ONZE MOTS. »

Ceci constitue une description parfaite pour un nombre, n'est-ce pas? Mais, horreur! Si vous comptez le nombre de mots dans cette description, vous verrez qu'il est de dix!

Le paradoxe de Russel a aussi eu quelques variantes humoristiques. Par exemple, la machine de Quine, qui ne fonctionne que lorsqu'elle n'est pas en action. J'aime également assez celle que nous devons à Lisa Collier et qu'elle appelle le « paradoxe de l'homme d'affaires » : le président d'une grande compagnie offre à ses employés une récompense de cent dollars pour toute suggestion qui permettrait de réaliser des économies. Un employé propose : « Supprimez la récompense ! »

Voici un petit paradoxe de ma composition : considérons à nouveau l'île des Paladins et des Gredins, sur laquelle les Paladins ne disent que la vérité, contrairement aux Gredins qui ne font que mentir, chaque habitant étant soit un Paladin, soit un Gredin. Sur cette île, il n'est pas possible qu'un habitant dise : « Je ne suis pas un Paladin », parce que aucun Paladin ne le dirait en mentant et aucun Gredin ne le dirait en toute honnêteté. Ainsi, aucun habitant ne peut affirmer cela. Supposons maintenant que vous visitiez cette île et que vous rencontriez un indigène qui vous dirait : « Vous ne saurez jamais que je suis un Paladin. » Vous vous rendez compte que si jamais vous saviez qu'il s'agit d'un Paladin, sa proposition deviendrait fausse, faisant de lui un Gredin, ce qui est impossible. Ainsi, vous ne saurez jamais qu'il s'agit d'un Paladin. Or, c'est justement ce qu'il a affirmé, il a donc dit la vérité et il s'agit d'un Paladin. Maintenant, vous savez que c'est un Paladin ! Mais il a dit que vous ne le sauriez jamais... et il s'agit donc d'un Gredin. Il est donc à la fois paladin et gredin, ce qui est impossible !

Ceci constituait une version simplifiée du paradoxe de l'interrogation surprise. Un lundi matin, un professeur dit à ses élèves : « Je vous donnerai une interrogation un jour de cette semaine, vendredi au plus tard, mais ce sera une interrogation surprise, c'est-à-dire, que vous ne saurez pas à l'avance à quel moment elle aura lieu. » Voici le raisonnement que tint un élève particulièrement intelligent : « Elle ne peut être vendredi, parce que si jeudi, à la fin des cours, nous ne l'avons pas eue, je saurai qu'elle aura lieu le lendemain, et ce ne sera pas une surprise. Ceci élimine le vendredi. Donc l'examen sera jeudi au plus tard, mais, par le même raisonnement, ce ne sera pas jeudi, parce que si, mercredi soir, l'interrogation n'a toujours pas eu lieu, je saurai qu'elle sera pour le jeudi, puisque j'ai déjà prouvé que le jeudi était le dernier jour possible. Mais alors une interrogation le jeudi ne serait plus une surprise. Ceci élimine le jeudi et le mercredi est le dernier jour possible. » Puis l'élève, supprimant, par la même argumentation, le mercredi, le mardi et le lundi, conclut : « Nous n'aurons pas d'interrogation du tout! » Le professeur lui dit alors : « Nous allons la faire maintenant. » Et l'élève fut bien surpris!

D'origine très récente, le paradoxe de Newcombe est tout à fait déconcertant. Je vais d'abord vous l'exposer avant d'en donner une nouvelle variante. Supposons que je vous montre une commode à deux tiroirs et que je vous explique que chaque tiroir contient soit un billet de cent dollars, soit un billet de mille dollars. Je vous donne ensuite le choix entre prendre ce qu'il peut y avoir dans les deux tiroirs ou ne prendre que l'argent contenu dans le tiroir du bas. Que choisiriez-vous? Presque tout le monde dirait : « De toute évidence, il faut prendre les deux tiroirs, puisqu'il y aura plus d'argent que dans un seul tiroir, cent ou mille dollars de plus. » Que puis-je vous donner comme information supplémentaire pour vous faire changer d'avis et vous convaincre que vous trouverez plus d'argent en n'ouvrant que le tiroir du bas que si vous ouvrez les deux? Cela vous paraît ridicule, n'est-ce pas? Je suis certain que plus d'un parmi vous serait prêt à parier qu'aucune information supplémentaire ne vous ferait changer d'avis à ce sujet. Mais attendez! J'ai omis de vous dire qu'il existe un être, humain, machine ou dieu, qui est l'oracle parfait et qui connaît à tout moment le futur complet de l'univers. Cet oracle parfait sait d'avance quel sera votre choix et contrôle les sommes qui doivent aller dans chaque tiroir. Ainsi, s'il prédit que vous allez choisir les deux tiroirs, ces derniers ne recevront que des billets de cent dollars, mais s'il détermine que vous allez choisir celui du bas, les deux tiroirs recevront un billet de 1 000 dollars. Cette information supplémentaire influence-t-elle votre décision? Je suis certain que nombre d'entre vous diront *oui*, simplement parce que vous vous rendez compte qu'en ouvrant les deux tiroirs, vous trouverez 200 dollars, tandis que si vous n'ouvrez que celui du bas, vous en trouverez 1 000. Cependant, ceci ne vient-il pas en contradiction avec le fait tout aussi évident que l'argent est déjà là et qu'il y a deux fois plus d'argent dans les deux tiroirs réunis que dans le seul tiroir du bas? Voilà le paradoxe. Quelle est la solution? Certains ont avancé que ce paradoxe prouvait qu'il ne peut y avoir d'oracle parfait. Je ne suis pas du tout d'accord avec cette solution! Il est en fait possible de reformuler l'idée qui se trouve à la base de ce paradoxe, en laissant totalement de côté l'idée de l'oracle! Voici cette variante.

Nous avons, à nouveau, une commode à deux tiroirs contenant chacun soit cent dollars, soit mille dollars, et à nouveau, vous devez choisir soit les deux tiroirs, soit uniquement celui du bas.

Proposition : soit vous choisissez les deux tiroirs et il y aura 100 dollars dans chacun d'eux, soit vous choisissez le tiroir du bas et il y aura 1 000 dollars à l'intérieur (ainsi que dans celui du haut).

Notez que je n'ai aucunement parlé d'un quelconque oracle! (la version de Newcombe implique la proposition ci-dessus, mais cette dernière est plus générale et ne fait pas référence à un oracle). Cette proposition est-elle cohérente? Nous prouverons, dans un premier temps, que la proposition n'est pas cohérente, puis nous prouverons qu'elle l'est. Ceci constitue ma version du paradoxe.

### PREUVE DE L'INCOHÉRENCE DE LA PROPOSITION

En dehors du fait qu'il y ait 100 ou 1 000 dollars dans chacun des tiroirs, le fait est que, dans chaque cas, il y a plus d'argent dans les deux tiroirs que dans le seul tiroir du bas. C'est pourquoi, si vous ouvrez les deux tiroirs, vous trouverez plus d'argent que si vous ouvrez seulement celui du bas. D'un autre côté, la proposition implique que si vous ouvrez uniquement le tiroir du bas, vous trouverez plus d'argent (1 000 dollars) que si vous ouvrez les deux tiroirs (200 dollars). Voici une contradiction évidente, donc la proposition n'est pas cohérente.

### Preuve de la cohérence de la proposition

S'il y a la moindre possibilité pour que la proposition soit vraie, la proposition doit être cohérente (puisqu'une proposition qui n'est pas cohérente ne peut être vraie). Il est certainement possible que vous ouvriez les deux tiroirs et que vous trouviez 200 dollars, auquel cas la proposition est validée (il est possible également que vous ouvriez seulement le tiroir du bas et trouviez 1 000 dollars, et que vous vous rendiez compte par la suite que le tiroir du haut contient également 1 000 dollars, ce qui valide à nouveau la proposition). Étant donné que la proposition peut être validée, elle est nécessairement cohérente.

De cette façon j'ai prouvé que la proposition était à la fois cohérente et incohérente : voila bien un paradoxe, non ?

J'aimerais ensuite donner une version paradoxale du « dilemme du prisonnier ». Ce dernier n'est pas traditionnellement compté parmi les paradoxes, mais je vous montrerai comment il est possible de le transformer en un paradoxe. Je ne considérerai que la version positive, dans laquelle les participants sont récompensés plutôt que punis : nous dirons que vous et moi sommes les joueurs et qu'il y a également un distributeur de récompenses. Nous avons deux options : coopérer ensemble ou abandonner. Si nous coopérons tous les deux, nous sommes tous les deux récompensés de 3 dollars ; si nous abandonnons tous les deux, nous recevons chacun 1 dollar. Mais si l'un abandonne et l'autre coopère, le premier reçoit 5 dollars et le second n'a rien ! Quelle est la meilleure stratégie ? Si je coopère, vous obtiendrez plus d'argent en abandonnant qu'en coopérant (5 dollars contre 3 dollars). Si j'abandonne, vous obtiendrez également plus en abandonnant qu'en coopérant (1 dollar contre rien). Ainsi, quoi que je fasse, vous vous en tirez mieux en abandonnant. C'est pourquoi vous devriez abandonner. Pour les mêmes raisons, je devrais abandonner. Et ainsi, nous abandonnons tous les deux, et nous obtenons chacun 1 dollar, alors que si nous avions tous les deux coopéré, nous aurions obtenu chacun 3 dollars ! Il est assez étrange que nous ayons intérêt à coopérer, alors qu'individuellement nous avons intérêt à abandonner !

Voici une autre façon de voir le problème : partons du principe que vous et moi sommes des êtres rationnels. Puisque les conditions sont parfaitement identiques pour chacun de nous, nous allons jouer de manière identique. Sachant que nous allons jouer ainsi, il est évident que nous devrions coopérer (pour ainsi gagner 3 dollars plutôt que 1 dollar). Cependant, le premier argument voudrait que nous abandonnions tous les deux !

Si nous partons du principe que nous jouons de manière identique, les quatre propositions suivantes sont vérifiées :

> Proposition 1 : « Si nous coopérons tous deux, nous recevrons chacun 3$. »
>
> Proposition 2 : « Si nous abandonnons tous deux, nous obtiendrons chacun 1$. »
>
> Proposition 3 : « Si l'un abandonne et l'autre coopère, le premier recevra 5 dollars et l'autre rien. »
>
> Proposition 4 : « Nous jouons de la même manière, c'est-à-dire que soit nous coopérons tous deux, soit nous abandonnons tous deux. »

Ces quatre propositions sont-elles cohérentes ? Je prouverai d'abord qu'elles ne le sont pas ; puis je prouverai qu'elles le sont, pour obtenir ainsi un paradoxe analogue au précédent. Pour prouver qu'elles ne sont pas cohérentes, on peut conclure, en prenant les trois premières à part, qu'il y a plus à gagner à abandonner qu'à coopérer car, quoi que vous fassiez, vous gagnerez plus en abandonnant, comme je l'ai précédemment démontré. Mais en ajoutant la proposition 4, il se trouve que vous obtiendrez plus en coopérant (3 dollars contre 1 dollar).

Voilà qui est de toute évidence incohérent, ainsi les quatre propositions ne peuvent être cohérentes. D'un autre côté, les propositions doivent être cohérentes, parce qu'il est possible que nous jouions de façon identique et, si nous le faisons (que ce soit en coopérant tous deux ou en abandonnant tous deux), les quatre propositions sont validées. Ainsi, les propositions sont malgré tout cohérentes. J'ai pourtant prouvé qu'elles ne l'étaient pas! Voilà le paradoxe.

Pour finir, j'aimerais étudier avec vous ce qui est connu sous le nom de « paradoxe de l'enveloppe », ainsi qu'une variante. Sur une table se trouvent deux enveloppes; l'une d'elles contient deux fois plus d'argent que l'autre (et aucune n'est vide). Vous choisissez l'une des enveloppes et l'ouvrez; vous avez alors le choix entre garder le contenu ou l'échanger contre celui de l'autre enveloppe. Avez-vous intérêt à échanger? Supposons que, par exemple, vous trouviez 100 dollars dans votre enveloppe. Dans ce cas, l'autre enveloppe contient à chances égales soit 200, soit 50 dollars. Ainsi, si vous gagnez au change, vous serez passé de 100 à 200 dollars, faisant un bénéfice de 100 dollars, alors que si vous y perdez, vous ne perdrez que 50 dollars (en passant de 100 à 50 dollars). Comme les probabilités de gagner ou de perdre sont égales, vous devriez échanger. En d'autres termes, vous ne jouez pas à quitte ou double, qui est un pari honnête (ni favorable ni défavorable), mais à moitié ou double, qui est un pari véritablement favorable. C'est pourquoi vous devriez échanger. Mais avant même d'ouvrir l'enveloppe, vous savez que quel que soit le montant que vous y trouverez, vous pourrez tenir le même raisonnement et conclure que vous devriez échanger; ainsi, sans même vous soucier d'ouvrir l'enveloppe, vous devriez échanger directement! Ce qui est ridicule!

Quelle est la solution? Celle que donnent habituellement les experts en probabilités est qu'une telle mesure de probabilité sur l'ensemble infini des nombres entiers positifs n'existe pas. Je maintiens cependant qu'ici l'utilisation d'une quelconque probabilité n'est pas fondamentale, et, pour le prouver, je vous présenterai une variante de ce paradoxe dans laquelle la probabilité a été totalement éliminée.

Nous avons, à nouveau, deux enveloppes, l'une d'elle contenant deux fois plus d'argent que l'autre. Vous tenez l'une des enveloppes dans la main et avez déjà décidé de l'échanger contre l'autre. Je vais maintenant vous prouver les deux propositions suivantes, logiquement incompatibles.

> Proposition 1 : Le montant que vous gagnerez en échangeant, si vous y gagnez, est plus grand que le montant que vous perdrez, si vous y perdez.
>
> Proposition 2 : Les deux montants sont véritablement identiques.

Pour prouver la proposition 1, posons $n$ le montant que vous tenez actuellement. L'autre enveloppe contient alors soit $2n$, soit $n/2$. Si vous gagnez à l'échange, vous gagnerez $n$ dollars (en passant de $n$ à $2n$ dollars), tandis que si vous perdez, vous perdrez seulement $n/2$ (en passant de $n$ à $n/2$). Étant donné que $n$ est plus grand que $n/2$, la proposition est fondée.

Pour prouver la proposition 2, posons $d$, qui est la différence entre les deux sommes dans les enveloppes (ou, ce qui revient au même, la plus petite somme des deux). Si vous êtes gagnant à l'échange, vous gagnerez $d$ dollars. Si vous êtes perdant, vous perdrez $d$ dollars. Puisque $d$ est égal à $d$, la proposition $d$ est fondée !

Cependant, les propositions 1 et 2 ne peuvent évidemment pas être vraies toutes les deux ! Laquelle des deux croyez-vous ?

Nous pourrions aussi bien abandonner les enveloppes ! Voici une forme très épurée du paradoxe : supposons que nous ayons deux nombres positifs entiers, $x$ et $y$, et que l'on nous dise que l'un d'eux est deux fois plus grand que l'autre. Je prouverai les deux propositions suivantes, logiquement incompatibles.

> Proposition 3 : L'excédent de $x$ sur $y$, si $x$ est plus grand que $y$, est plus grand que l'excédent de $y$ sur $x$, si $y$ est plus grand que $x$.
>
> Proposition 4 : les deux excédents sont égaux.

Preuve de la proposition 3 : Soit $x = 2y$, soit $x = 1/2y$. Si $x = 2y$, l'excédent de $x$ sur $y$ sera $x - y = 2y - y = y$. D'un autre côté, si $x = 1/2y$, l'excédent de $y$ sur $x$ est $y - x = y - 1/2y = 1/2y$. Il est clair que $y$ est plus grand que $1/2y$, ce qui prouve la proposition 3.

Preuve de la proposition 4 : Posons $b$ la différence entre les deux quantités $x$ et $y$ (ou, ce qui revient au même, le plus petit des deux). Si $x$ est plus grand que $y$, l'excédent de $x$ sur $y$ est $d$. Si $y$ est plus grand que $x$, l'excédent de $y$ sur $x$ sera encore $d$. Comme $d = d$, les deux excédents sont visiblement égaux.

Hum !

☆ ☽ ☆ ☺ ☆ ☽ ☆

# SOLUTIONS

# DES ÉNIGMES

# DE SHÉHÉRAZADE

# SOLUTIONS DES ÉNIGMES DU LIVRE I

☆ 1 ☆

La réponse est *Rien*.

☆ 2 ☆

La probabilité est de cent pour cent : il est absolument certain qu'au moins deux Arabes ont le même nombre d'amis arabes. Supposons qu'il y ait un million d'Arabes. Le nombre possible d'amis arabes pour un Arabe donné se situerait alors entre 0 et 999 999. S'il n'y avait pas deux Arabes ayant le même nombre d'amis arabes, il faudrait donc que parmi ce million de situations, chacune soit réalisée, c'est-à-dire qu'un Arabe ait 0 ami arabe, un autre un seul ami arabe, un autre encore deux et ainsi de suite jusqu'à un Arabe qui aurait 999 999 amis arabes. Or si un Arabe a 999 999 amis arabes, c'est-à-dire tous les autres Arabes pour amis, chaque Arabe l'a pour ami. Par conséquent, aucun n'a 0 ami arabe. L'affirmation selon laquelle chaque Arabe possède un nombre différent d'amis arabes mène donc à une contradiction : au moins deux Arabes ont le même nombre d'amis. Bien sûr, ce nombre d'un million a été choisi de manière arbitraire.

Le raisonnement s'appliquerait à n'importe quel autre nombre... à condition, bien sûr, qu'il y ait au moins deux Arabes !

☆ **3** ☆

Les deux chameaux se font face et regardent dans des directions opposées.

☆ **4** ☆

La réponse habituelle est six, mais on peut y arriver en ne coupant que cinq maillons, chaque chaîne ne possédant que cinq maillons. Le joaillier peut couper tous les maillons d'une chaîne et, avec ces cinq maillons, réunir les cinq chaînes restantes en un cercle.

☆ **5** ☆

Le plus simple est de prendre l'histoire par sa fin : le quatrième voleur doit avoir trouvé deux diamants, le troisième, six, le deuxième, quatorze et le premier voleur trente.

☆ **6** ☆

Si la deuxième version est correcte, Abdoul avait soixante diamants. Si la troisième l'est, il en possédait soixante-seize.

☆ **7** ☆

On peut résoudre ce problème soit en tâtonnant soit par l'algèbre. Pour ma part, je préfère faire appel au simple bon sens. Si nous donnons cinq perles à chacun, les hommes sans arme auront leur part et il restera six perles que se partageront les hommes armés. Ceux-ci sont donc au nombre de six.

☆ **8** ☆

Nous pouvons trouver la solution en soustrayant neuf à cinquante-neuf, puis neuf au résultat, encore une fois neuf à ce nouveau résultat, et ainsi de suite, jusqu'à ce que nous parvenions à un multiple de quatre. Ce qui nous donne : cinquante-neuf, cinquante, quarante et un, trente-deux, ce dernier chiffre étant divisible par quatre. Il y avait donc trente-deux rubis dans huit sacs, et vingt-sept émeraudes dans trois sacs.

☆ 9 ☆

Non, ils ne sont pas égaux. Six douzaines de douzaines font 6 x 144, c'est-à-dire 864 ; tandis qu'une demi-douzaine de douzaines fait 6 x 12, c'est-à-dire 72.

☆ 10 ☆

La réponse n'est pas six, mais trois.

☆ 11 ☆

La réponse qui vient immédiatement à l'esprit – le quatrième échelon à partir du bas  - est fausse. La bonne réponse est le deuxième échelon à partir du bas, parce que le bateau s'élève en même temps que l'eau monte.

☆ 12 ☆

Il avait cent vingt poneys. Cette réponse peut être trouvée soit par tâtonnements soit en résolvant l'équation $(x/4) + (x/3) = (x/2) + 10$.

☆ 13 ☆

Cinquante-cinq milles en cinq jours représentent une moyenne de onze milles par jour. Dans la mesure où la distance journalière parcourue augmente régulièrement (un mille par jour), le poney a dû atteindre cette moyenne le troisième jour. Ce qui signifie qu'il a parcouru neuf milles le premier jour, dix le deuxième, onze le troisième, douze le quatrième et treize le cinquième et dernier jour. Vous pourrez vérifier qu'additionnés ces cinq nombres font bien cinquante-cinq.

☆ 14 ☆

Non, la réponse est quatre-vingt-dix-neuf jours. Au quatre-vingt-dix-neuvième jour, l'arbre parvient à la moitié de sa taille définitive, taille qu'il atteindra le lendemain en la doublant.

☆ 15 ☆

Imaginons qu'à l'origine l'arbre mesure un pied. Chaque jour, il grandit d'un demi-pied (puisque le premier jour, il grandit de la moitié d'un pied, le lendemain du tiers d'un pied et demi, c'est-à-dire un demi-pied, et ainsi de suite). En cent quatre-vingt-dix-huit jours, il grandira donc de quatre-vingt-dix-neuf pieds, atteignant en définitive une hauteur de cent pieds. La réponse est donc cent quatre-vingt-dix-huit jours.

☆ 16 ☆

On s'imagine que la réponse est sept, les quatre chevaux blancs et les trois noirs. Or la réponse est *aucun*... puisque les chevaux ne parlent pas!

☆ 17 ☆

Un million divisé par un quart donne quatre millions, et non pas le quart d'un million! Un million de fois un quart donne bien le quart d'un million, mais un million divisé par un quart représente le nombre de quarts qu'il y a dans un million. Diviser par une fraction, équivaut à multiplier par l'inverse. La réponse est donc 4 000 050.

☆ 18 ☆

Shéhérazade a raison : si ces chevaux pouvaient parler, tous pourraient l'affirmer, mais le cheval brun serait alors dans l'erreur.

☆ 19 ☆

Si $x$ représente l'âge de la mule, nous avons $x + 4 = 3(x - 4)$, ce qui nous donne $x = 8$.

## ☆ 20 ☆

Si la mule était noire, les trois suppositions seraient fausses. Si elle était brune, les trois suppositions seraient correctes. La mule est donc grise (les deux premières suppositions sont alors justes et la troisième fausse).

## ☆ 21 ☆

Étant donné que les chameaux meurent tous, *sauf* cinq, il nous reste donc ceux-là. Bien évidemment, n'importe quel cancre était capable de donner la mauvaise réponse, *trois*.

## ☆ 22 ☆

Le frère cadet en avait deux, l'aîné trois et l'oncle quatre.

## ☆ 23 ☆

Il faut résoudre l'équation $x + 3 = 2(x - 1/2)$. On obtient $x = 4$.

## ☆ 24 ☆

La rouge mesure dix pouces et la bleue trois pouces Nous pouvons obtenir ce résultat soit en tâtonnant soit en résolvant les équations suivantes : $r = 7 + b$ et $r - 4 = 2b$ ($r$ étant mis pour rouge et $b$ pour bleue).

## ☆ 25 ☆

Dans la mesure où le chat est rentré deux fois plus vite qu'il n'est parti, il a mis deux fois plus de temps pour aller que pour revenir. Cela signifie qu'il a mis dix minutes pour aller et cinq minutes pour rentrer. Il est parti à une vitesse de trois milles à l'heure, ce qui représente un mille en vingt minutes. Comme il n'a marché que dix minutes, il a parcouru un demi-mille, chiffre qui peut également être obtenu par l'algèbre. Nommons $d$, la distance parcourue : le temps passé à marcher est égal à $d/3$, et le temps passé à trottiner à $d/6$ Le chat s'étant absenté pendant un quart d'heure, *d* est déterminée par l'équation *d*/3 + *d*/6 = *1/4.*

## ☆ 26 ☆

Il y avait vingt-sept souris. Le plus facile est de partir de la fin : huit représente les deux tiers de douze, qui représente les deux tiers de dix-huit, qui représente les deux tiers de vingt-sept.

## ☆ 27 ☆

Ali avait sept chats et cinq chiens. Après que le premier magicien eut transformé un chat en chien, Ali avait six chats et six chiens. Le lendemain, il avait à nouveau sept  hats et cinq chiens. Le surlendemain, il avait quatre chiens et huit chats, donc deux fois plus de chats que de chiens.

Cette réponse pouvait être trouvée par tâtonnements ou en résolvant les équations suivantes : $a - 1 = b + 1$, et $a + 1 = 2(b - 1)$, dans lesquelles *a* représente le nombre de chats et *b* le nombre de chiens.

## ☆ 28 ☆

La solution la plus simple consiste à diviser chaque miche en trois morceaux égaux. Nous avons ainsi vingt-quatre morceaux, quinze appartenant à Ahmed et neuf à Ali. Ces vingt-quatre morceaux ont été partagés équitablement entre trois personnes, ce qui représente huit morceaux pour chacun. La contribution d'Ahmed fut donc de sept morceaux, celle d'Ali d'un seul. Haroun avait bien raison…

## ☆ 29 ☆

Il faut ici diviser chaque miche en trois parts égales, ce qui en fait neuf pour Ali et six pour Ahmed. Chaque homme recevant cinq morceaux, Ali en a donné quatre et Ahmed un seul. Le premier doit donc obtenir huit pièces et le second deux.

☆ **30** ☆

| 4 | 1 | 4 |
|---|---|---|
| 1 | le roi | 1 |
| 4 | 1 | 4 |

☆ **31** ☆

| 2 | 5 | 2 |
|---|---|---|
| 5 | le roi | 5 |
| 2 | 5 | 2 |

☆ **32** ☆

| 1 | 7 | 1 |
|---|---|---|
| 7 | le roi | 7 |
| 1 | 7 | 1 |

☆ **33** ☆

|   | 9 |   |
|---|---|---|
| 9 | le roi | 9 |
|   | 9 |   |

☆ **34** ☆

| 5 |   | 4 |
|---|---|---|
|   | le roi |   |
| 4 |   | 5 |

☆ **35** ☆

La réponse pourrait être obtenue en résolvant l'équation $x/4 + x/5 + x/3 = x$. Mais le simple bon sens peut nous suggérer la déduction suivante : un quart, plus un cinquième, plus un tiers, font quarante-sept soixantièmes. Les treize ans restants sont visiblement les treize soixantièmes restant pour faire soixante.

### ☆ 36 ☆

Si $x$ représente le nombre de pièces et $y$ le nombre de mendiants, nous avons les deux équations suivantes : $7y = x - 24$ et $9y = x + 32$. En soustrayant les deux membres de la première équation aux deux membres de la seconde, nous obtenons $2y = 56$ et donc $y = 28$. Dans ce cas $x = 220$.

### ☆ 37 ☆

En additionnant le nombre au septième de sa valeur, nous obtenons 8/7 du nombre. Si les 8/7 du nombre sont égaux à 19, le nombre est donc lui-même égal aux 7/8 de 19, c'est-à-dire 16 et 5/8. (On peut aussi résoudre l'équation : $x + x/7 = 19$.)

### ☆ 38 ☆

Le nombre est vingt-huit. Pour y parvenir, le plus simple est d'inverser le calcul, et de partir de deux, que l'on multiplie par dix et auquel on soustrait huit. On prend alors le carré du résultat, et ainsi de suite.

### ☆ 39 ☆

Il y avait soixante-douze abeilles. Le seul moyen que je connaisse pour résoudre ce problème, hormis les tâtonnements, consiste à utiliser une équation du second degré. Si $x$ est le nombre d'abeilles, nous avons l'équation $\sqrt{x/2} + 2 = 1/9x$ (puisqu'un neuvième de l'essaim est sorti). Si $y = \sqrt{x/2}$, nous aurons $x = 2y^2$, et l'équation deviendra $y + 2 = 2/9y^2$. La seule solution positive est $y = 6$ et donc $y^2 = 36$ et $x = 72$.

### ☆ 40 ☆

Ici, c'est plus facile dans la mesure où nous n'avons

qu'une équation linéaire :
$(x/5 + x/3) + 3(x/3 - x/5) + 1 = x,$
dont la résolution donne $x = 15$.

☆ 41 ☆

Déterminons combien il y a d'abeilles d'après le premier rapport, puis en nous fondant sur le second.

Notons tout d'abord que d'après le premier rapport, chaque abeille correspond exactement à l'un des huit types suivants :

    1. grande jaune mâle
    2. grande jaune femelle
    3. grande brune mâle
    4. grande brune femelle
    5. petite jaune mâle
    6. petite jaune femelle
    7. petite brune mâle
    8. petite brune femelle

Il nous faut maintenant trouver combien il y a d'abeilles dans chacun de ces types. Dans la mesure où une abeille ne peut appartenir qu'à un des huit types, nous additionnerons ensuite les huit nombres pour obtenir la réponse.

    1. On nous dit qu'il n'y a qu'une abeille de ce type.

    2. Étant donné qu'il y a quatre grandes abeilles jaunes et qu'une seule d'entre elles est mâle, les trois autres sont femelles, du type 2, grandes, jaunes femelles.

    3. Puisqu'il y a trois grands mâles et qu'un seul est jaune, il doit y avoir deux grandes abeilles brunes mâles.

    4. Nous avons compté jusqu'à présent six grandes abeilles (1 jaune mâle, 3 jaunes femelles, 2 brunes mâles) : les sept abeilles restantes doivent donc être grandes, brunes et femelles.

    5. Comme il y a cinq mâles jaunes et qu'un seul d'entre eux est grand, il doit y avoir quatre petites jaunes mâles.

6. Sur les quatorze abeilles jaunes, l'une est du type 1, trois du type 2 et quatre du type 5, ce qui fait huit au total. Le reste des abeilles jaunes doit être du type 6. Il y a donc six abeilles du type 6.

7. Des douze mâles, un est du type 1, deux du type 3 et quatre du type 5, ce qui représente sept abeilles. Les cinq mâles qui restent doivent être du type 7.

8. Il n'y a aucune abeille de ce type. Nous savons en effet que chaque abeille doit posséder au moins une des qualités suivantes, à savoir être grande et/ou mâle et/ou jaune.

En faisant le total des abeilles de chaque type, on trouve vingt-huit abeilles. Si ce premier rapport est correct, il y avait vingt-huit abeilles.

En ce qui concerne le second rapport, le calcul est plus facile : si $x$ représente le nombre d'abeilles, nous avons l'équation $x/2 + x/4 = x/7 = 3 = x$, dont la solution est $x = 28$. Les deux rapports sont donc parfaitement compatibles, et il n'y a aucune raison de douter de l'un comme de l'autre.

☆ **42** ☆

Le roi avait tort et commettait une erreur fréquente. La probabilité est en réalité de deux chances sur trois, mais j'aurai du mal à convaincre certains d'entre vous Prenons le problème de la façon suivante : oublions définitivement la commode qui contient les deux émeraudes, pour ne plus considérer que la commode $R R$ (contenant deux rubis) et la commode $R E$ (contenant un rubis et une émeraude). Soit $R_1$ le rubis situé dans le tiroir supérieur de la commode $R R$, $R_2$ celui situé dans le tiroir inférieur de cette même commode et $R_3$ celui contenu dans la commode $R E$. Si l'on choisit un des quatre tiroirs au hasard et que l'on y trouve un rubis, les chances pour que ce soit $R_1$, $R_2$ ou $R_3$ sont égales, et il y a donc deux chances contre une pour qu'il s'agisse de $R_1$ ou $R_2$. La probabilité pour que l'autre tiroir de la même commode contienne un rubis est donc de deux sur trois.

On peut envisager ce problème sous un autre angle : la probabilité est la même que l'émeraude se trouve dans n'importe lequel des quatre tiroirs. Si, dans un des tiroirs, on trouve un rubis, l'émeraude pourra être dans n'importe lequel des autres tiroirs. Par conséquent, quel que soit le second tiroir, qu'il appartienne à la même commode ou pas, la probabilité d'y trouver une émeraude est d'une sur trois et celle de trouver un rubis de deux sur trois.

Si vous n'êtes pas encore convaincu, je vous suggère de faire l'expérience suivante : dans un jeu prenez trois cartes rouges (pour représenter les rubis) et une carte noire (pour représenter l'émeraude). Mélangez-les bien puis disposez-les face contre table en formant deux piles. Supposez que vous preniez l'une des cartes, que vous la retourniez et qu'elle soit rouge : croyez-vous vraiment qu'il existe une chance sur deux pour que l'autre carte de la pile soit rouge ?

Si vous n'êtes toujours pas convaincu, vous pouvez répéter cette expérience soixante fois puis vérifier si le nombre de fois où vous avez tiré une autre carte rouge ne se rapprocherait pas de quarante !...

☆ 43 ☆

Il y a dix manières pour le roi de trouver un diamant. Comme pour chacune d'elles, on a ensuite le choix entre deux autres tiroirs, il y a vingt manières de prendre d'abord un diamant puis d'ouvrir un second tiroir dans la même commode. Combien de ces vingt façons nous permettront-elles de trouver un second diamant ? Dans les commodes 4, 5 ou 6, il n'y a aucune chance d'en trouver. En revanche, la commode 3 contenant deux diamants, il y a donc deux manières de prendre un premier diamant. Que l'on choisisse l'une ou l'autre manière, il n'y a ensuite qu'une façon de prendre un second diamant, ce qui nous donne donc deux possibilités pour la commode 3. De la même façon, il y a deux possibilités pour la commode 2. Quant à la commode 1, il a d'abord pu prendre l'un des trois diamants qu'elle contient, puis avoir à chaque fois deux chances sur trois de tomber sur un second diamant, ce qui fait en tout six possibilités. Une fois un premier diamant trouvé, il y a donc dix possibilités pour que l'on en trouve un second et que l'on a de plus une chance sur deux de trouver celui-ci dans la même commode.

☆ 44 ☆

Après avoir trouvé un premier diamant, comptons les différentes manières d'en trouver un autre dans un tiroir d'une autre commode. Si on ouvre d'abord la commode 1, selon trois façons possibles, il restera sept diamants dans les autres commodes, ce qui nous donne donc vingt et une possibilités. Si on ouvre d'abord la commode 2, et ce de deux manières, on pourra trouver un second diamant dans une autre commode de huit façons différentes, ce qui nous donne seize possibilités. Pour la commode 3, le scénario est le même. Le choix des commodes 4, 5 et 6 n'offre à chaque fois qu'une manière de trouver le premier diamant et neuf manières d'en trouver un second. Au total, nous disposons de quatre-vingts alternatives pour trouver un second diamant situé dans une autre commode.

Dans cette première variante, il y a neuf autres commodes, nous avons donc le choix entre vingt-sept tiroirs. Il y a dix manières de trouver le premier diamant, par conséquent nous disposerons ensuite de deux cent soixante-dix façons différentes de piocher dans un second tiroir dans une autre commode. Nous savons déjà qu'il y a quatre-vingts possibilités de tomber sur un second diamant. Nous avons donc quatre-vingts chances sur deux cent soixante-dix de trouver un second diamant dans une autre commode (après en avoir trouvé un premier), soit huit chances sur vingt-sept. C'est évidemment beaucoup moins que si on avait une chance sur deux. Il vaut donc mieux s'en tenir à la même commode. Dans la seconde variante, une fois les quatre dernières commodes enlevées, il nous en reste six. Nous avons alors le choix entre quinze tiroirs. Comme il y a dix manières de trouver un premier diamant, il y a par conséquent cent cinquante manières de piocher ce diamant puis de choisir un tiroir dans une commode différente. Comme nous savons déjà qu'il y a quatre-vingts chances sur cent cinquante de trouver un second diamant, la probabilité est donc de huit sur quinze, ce qui est légèrement mieux qu'un sur deux. Dans cette variante, il est donc préférable de choisir un tiroir dans une autre commode.

☆ 45 ☆

La probabilité n'est pas d'une sur deux, comme on serait tenté de répondre, mais de une sur trois. Peut-être est-il plus simple de l'expliquer avec des lancers de pièce. Supposons qu'on lance une pièce deux fois. Quelles sont les quatre possibilités ? Il y a $FF$ (face, face), $FP$ (face, pile), $PF$ (pile, face) et $PP$ (pile, pile), toutes de même probabilité. Supposons maintenant que l'on nous dise que l'un des résultats est face. $PP$ éliminée, nous nous retrouvons avec trois possibilités équiprobables $FF$, $FP$ et $PF$, dont une seule implique deux résultats face. Si toutes ces possibilités impliquent au moins un résultat face, la probabilité pour qu'il y ait deux résultats face est donc d'une sur trois, et non d'une sur deux. Vous avez encore des doutes ? Répétez cent fois ce double lancer et vérifiez si, parmi les lancers face, il y en a bien un sur trois qui l'est doublement.

☆ 46 ☆

Non, le roi a tort ! Cette fois-ci les chances sont égales. Cette fois encore, la démonstration est plus aisée avec des lancers de pièce. Lançons la pièce deux fois. Cette fois, on ne nous dit pas seulement qu'au moins un des deux lancers est face, on prend soin de préciser qu'il s'agit du premier. Dans ce cas, les chances pour que les lancers soient tous les deux face et les chances pour que le second lancer soit face sont les mêmes, en l'occurrence d'une sur deux, ce qui n'est pas sorcier à calculer.

Et *vice versa* : si on nous dit que le second lancer est face, il y a une chance sur deux pour que le premier le soit. Ce qui est très différent du cas où *au moins* l'un des deux est face. Il en va de même dans l'exemple des chats. Si l'un au moins est mâle, il y a trois possibilités équiprobables : soit le blanc et le noir sont mâles ; soit le blanc est mâle et le noir femelle ; soit le noir est mâle et le blanc femelle. Les chats n'étant tous les deux mâles que dans un seul cas, cette probabilité est d'une sur trois. Mais si on nous précise que le blanc est mâle, nous avons deux possibilités équiprobables : soit le blanc est mâle et le noir mâle, soit le blanc est mâle et le noir femelle. La probabilité pour qu'ils soient tous les deux mâles est ici d'une sur deux.

## ☆ 47 ☆

Aucune somme finie ne permettra jamais à Ali de payer Ahmed : il a une chance sur deux de gagner deux pièces d'argent, ce qui correspond à une pièce. Il a également une chance sur quatre de gagner quatre pièces, ce qui correspond encore à une pièce. Il a une chance sur huit de gagner huit pièces, et cela correspond à nouveau une pièce. Et ainsi de suite…Voyons le problème sous un autre angle : supposons que nous modifions le jeu en le limitant à cent lancers. Si aucun lancer ne tombe sur face, Ahmed ne devra rien. La valeur prévue du jeu est de cent pièces d'argent. Elle serait de un million de pièces si le nombre de lancers était limité à un million, et ainsi de suite. Si on ne limite pas le nombre de lancers à l'avance, on ne pourra jamais définir la valeur du jeu. Ceci n'est pas réellement un paradoxe… tout au plus quelque chose d'assez surprenant.

## ☆ 48 ☆

Shéhérazade avait raison, bien que beaucoup de gens comprennent mal pourquoi et que des mathématiciens professionnels aient eux-mêmes été trompés par ce problème. Pour commencer, il y a une chance sur trois que le roi choisisse la bonne boîte (celle qui contient la récompense). Indépendamment du fait que le roi ait ou non choisi la bonne boîte , Shéhérazade – qui sait où se trouve la récompense – peut toujours ouvrir une boîte vide. Ce faisant, elle ne fournit aucune information supplémentaire. La probabilité pour que la boîte choisie contienne la récompense reste donc d'une sur trois, et celle pour que cette récompense soit dans la boîte C de deux sur trois... Le roi gagnerait à l'échange !

Pour ceux d'entre vous qui ne seraient pas convaincus, posez-vous simplement la question suivante : supposez que vous vous trouviez à la place du roi et que vous jouiez à ce jeu un grand nombre de fois sans jamais procéder à l'échange. Combien de fois espérez-vous gagner ? De toute évidence environ une fois sur trois : chaque fois que vous aurez initialement choisi la bonne boîte. Imaginez maintenant que vous procédiez toujours à l'échange. Vous gagnerez alors à peu près deux fois sur trois : chaque fois que vous n'aurez pas initialement choisi la bonne boîte (ce qui arrive à peu près les deux tiers du temps).

Si vous n'êtes toujours pas convaincu, supposez que le jeu se joue maintenant avec cent boîtes, et qu'une seule contienne la récompense. Vous choisissez une boîte, la «boîte numéro 1». Vos chances sont alors d'un sur cent. Supposez que quelqu'un qui sait où se trouve la récompense ouvre délibérément quatre-vingt-dix-huit boîtes et vous montre qu'elles sont vides. Les chances pour que la boîte 1 contienne la récompense sont-elles toujours d'une sur deux ? Je serais très honoré, jouant avec vous, mettons une centaine de fois, de vous prouver, à chaque fois, qu'il y a dix chances contre une pour que la boîte que vous aurez choisie au départ ne soit *pas* la bonne.. même après que vous avoir montré quatre-vingt-dix-huit boîtes vides !

☆ **49** ☆

Pour prouver la culpabilité de Shamhir, il ne suffit pas de dire qu'il a menti ; il faut préciser que les deux autres n'ont pas menti. Sabit, comme Salim, ayant de bonne foi accusé l'un des autres, sont en effet innocents l'un comme l'autre.

## ☆ 50 ☆

Comme Ibn et Hasib se sont contredits, l'un des deux a menti (et pas l'autre). Comme il y avait deux menteurs, Abou doit forcément être le second : c'est donc lui le coupable.

## ☆ 51 ☆

Si Hasib avait commis le cambriolage, ce qu'il a dit (et qui a été confirmé par Ibn) serait faux. Comme on sait que le voleur a dit la vérité, Hasib n'est pas coupable. Si Abou l'était, tous trois auraient dit la vérité, ce qui est impossible puisque l'on sait que l'un d'eux a menti. C'est donc Ibn le coupable : il a dit la vérité et Hasib a menti.

## ☆ 52 ☆

Si Hasib était coupable, ce coupable aurait dit la vérité, ce qui contredirait l'hypothèse initiale. Hasib est donc innocent (et il a menti). Si Ibn était coupable, Abou serait innocent et Ibn aurait dit la vérité, ce qui contredirait une fois de plus l'hypothèse initiale. C'est donc Abou est le coupable (et ils ont menti tous les trois).

## ☆ 53 ☆

Posons $x$, le nombre d'émeraudes. Le premier voleur a pris $1/3x$ émeraudes et en a laissé $2/3x$, dont les deux tiers ont été dérobés par le second voleur, ce qui équivaut à $4/9x$. La quantité totale d'émeraudes volées est donc de $1/3x + 4/9x$, soit $(3/9 + 4/9)x$, c'est-à-dire $7/9x$. Il reste donc $2/9x$, ce qui fait 12 ; $x$ est donc égal à 54  Le premier voleur s'est donc emparé d'un tiers de cinquante-quatre, c'est-à-dire dix-huit, laissant trente-six émeraudes, dont le second voleur a dérobé les deux tiers, c'est-à-dire vingt-quatre, en laissant douze.

☆ 54 ☆

Si on en prenait quatre de chaque sorte, on en aurait seize et le dix-septième serait identique à l'un de ces quatre. La réponse est donc dix-sept.

☆ 55 ☆

Il a pris quatre sacs de dix-sept pièces chacun et deux de seize pièces.

☆ 56 ☆

Le sabre ayant été volé par une personne seule, si Ibn est coupable, Hasib est innocent et a donc dit la vérité. Cela signifie qu'Abou est coupable. Il y aurait alors plus d'un coupable. Ibn ne peut donc être coupable. Comme il est innocent, il a dit la vérité, ce qui signifie que Hasib est coupable (et a faussement accusé Abou).

☆ 57 ☆

Encore une fois, c'est Hasib le coupable. Nous laissons au lecteur le soin d'en faire la preuve.

☆ 58 ☆

L'équation $3x - 10 = 2(x + 10)$ nous donne $x = 30$, chiffre qui correspond au nombre des pièces prises au départ par Ibn. Abou en avait donc quatre-vingt-dix, c'est-à-dire trois fois plus. Il en donne alors dix à Ibn, qui en a maintenant quarante. C'est la moitié de ce que possède Abou Ce dernier devra donc donner vingt de ses quatre-vingts pièces à Ibn pour que leurs parts soient égales.

☆ 59 ☆

A l'origine, Abou avait six fois plus de pièces qu'Hasib, ce qui donne l'équation $6x - 10 = x + 10$, soit $x = 4$ Hasib a donc pris quatre pièces, Ibn huit et Abou vingt-quatre, ce qui nous donne un total de trente-six.

☆ 60 ☆

Prenons le problème à l'envers. Si $x$ est le nombre de pièces trouvées chez Hasib, nous avons $4/11x = 8$, qui nous donne $x = 22$. Si $y$ est le nombre de pièces trouvées chez Ibn, nous avons $11/16y = 22$, qui nous donne $y = 32$. Ibn a donc pris dix pièces et Hasib quatorze, en laissant ainsi huit à Abou.

☆ 61 ☆

Si Ibn avait volé le chameau, il dirait la vérité en affirmant n'avoir volé ni le cheval ni la mule, alors qu'on nous a dit que le voleur de chameau mentait. Ibn n'a donc pas volé le chameau. S'il avait volé le cheval, il aurait menti en disant qu'il n'a volé ni le cheval ni la mule, alors que nous savons que le voleur du cheval dit la vérité. Si Ibn n'a pas volé le cheval, il a par conséquent volé la mule. Hasib dit donc la vérité lorsqu'il affirme qu'Ibn a volé la mule. Hasib n'a donc pas volé le chameau (puisque le voleur du chameau est un menteur), mais le cheval. Si Hasib a volé le cheval et Ibn la mule, c'est donc Abou qui a volé le chameau.

☆ 62 ☆

*Première étape* : selon la troisième affirmation, Kisra est moins dangereux que le voleur de l'émeraude. Selon la première affirmation, il est aussi moins dangereux que le voleur du diamant, ce dernier étant le plus à craindre des trois. Kisra est donc le voleur du rubis. Et le voleur du diamant est plus dangereux que celui qui a dérobé l'émeraude.

*Deuxième étape* : selon la deuxième affirmation, Amina n'est pas la propriétaire de l'émeraude. Aussi, Kisra, qui a dérobé le rubis, ne l'a-t-il pas volé à Amina mais à la plus âgée des dames (qui ne peut être Amina, puisque, selon la deuxième affirmation, celle-ci est plus jeune qu'au moins une des autres dames). Amina ne possède donc pas le rubis mais le diamant

*Troisième étape* : puisque Amina possède le diamant, l'homme qui l'a volée est celui qui a volé le diamant. Selon la première et la quatrième affirmation, il est à la fois célibataire et fils unique ; par conséquent, il ne peut pas avoir de beau-frère et ce ne peut pas être Abou. Abou n'a donc pas volé le diamant. Comme il n'a pas non plus volé le rubis (dérobé par Kisra), il a volé l'émeraude. C'est donc Badri qui a volé le diamant.

*Quatrième étape* : Badri a volé Amina. Comme Abdou n'a volé ni Amina ni Fatin, il a volé Safie. Donc, Abou a volé l'émeraude de Safie, Badri le diamant d'Amina et Kisra le rubis de Fatin. Et nous avons répondu à toutes les questions.

## ☆ 63 ☆

La réponse habituelle – dix et un – est fausse parce que la différence d'âge serait de neuf et non dix. La bonne réponse est dix ans et demi.

## ☆ 64 ☆

Ici, le principe est similaire : la bonne réponse n'est pas quatre-vingts, mais quatre-vingt-dix livres.

## ☆ 65 ☆

Il y avait huit hommes.

## ☆ 66 ☆

Le mieux est de prendre le problème à l'envers. Si $x$ est le nombre de pièces trouvées par le troisième voleur, celui-ci a pris $1/5x + 3/5$, ce qui laisse $x - (1/5x + 3/5)$, c'est-à-dire 409, qui nous donne $x = 512$. Ensuite, si $y$ est le nombre de pièces trouvées par le deuxième voleur, nous avons $y - (1/4y + 1/4) = 512$, qui nous donne $y = 683$. Enfin, si $z$ est le nombre de pièces trouvées par le premier voleur, nous avons $z - (1/3z + 1/3) = 683$, qui nous donne $z = 1025$, la somme trouvée par Ibn.

## ☆ 67 ☆

D'après la première affirmation, Hassan ne peut pas être le plus vieux et, d'après la seconde, Ali est le plus jeune. Ensuite, si l'on s'en tient à la première affirmation, puisque Ali n'est pas le plus vieux, c'est Ahmed le plus âgé. Après Ahmed, vient Hassan puis Ali, qui est le plus jeune.

## ☆ 68 ☆

Dans la mesure où ils sont d'accord, tous deux soit men tent soit disent la vérité. Comme l'un au moins ment, ils ne peuvent que mentir tous les deux. La sœur est donc la plus âgée.

## ☆ 69 ☆

Si le premier témoin a dit la vérité, le témoignage du troisième témoin est également vrai, ce qui est impossible puisqu'on nous a dit qu'un seul témoignage était vrai. Le deuxième témoin a donc dit la vérité et le troisième menti ; l'accusé n'a jamais commis aucun vol. Par conséquent, il n'a pas volé la caravane et est donc innocent (le deuxième témoin est le seul à avoir dit la vérité).

## ☆ 70 ☆

Si $x$ est la distance, Ali a marché pendant $x/5$ heures et Ahmed pendant $x/4$ heures. Ahmed étant arrivé un quart d'heure après Ali, l'équation $x/4 - x/5 = 1/4$, nous donne $x = 5$. Ali a donc marché 25 milles et Ahmed 20.

## ☆ 71 ☆

L'ermite s'est absenté pendant 28 heures. Comme il a médité et s'est reposé pendant 12 heures, il a donc marché pendant 16 heures. Si $x$ est la distance, le temps passé à monter est de $x/1,5$ et celui passé à descendre est de $x/4,5$. Nous avons ainsi l'équation $x/1,5 + x/4,5 = 16$, qui nous donne $x = 18$.

☆ 72 ☆

L'étudiant a d'abord formé la paire 1 et 1000, dont la somme fait 1 001. Puis la paire 2 et 999, dont la somme fait également 1 001. Puis 3 et 998, dont la somme fait aussi 1 001. Il existe cinq cents de ces paires, la dernière étant 500 et 501. La réponse est donc 500 × 1 001, qui fait 500 500.

Plus généralement, pour tout nombre entier $n$, la somme des nombres de 1 à $n$ (la somme $1 + 2 + ... + [n - 1] + n$) est égale à $n/2(n + 1)$, parce que nous pouvons constituer la paire 1 avec $n$, la paire 2 avec $n - 1$ et ainsi de suite pour obtenir $n/2$ paires dont la somme sera à chaque fois égale à $n + 1$. Si $n$ est pair, la dernière paire sera constituée par $n/2$ et $n/2 + 1$, tandis que si $n$ est impair, elle sera constituée de $n + 1/2$ et de $n$ lui-même. Par exemple, si $n = 1001$, la dernière paire est 501,501. Ainsi, que $n$ soit pair ou impair, la somme est égale à $n/2(n + 1)$, ou $n(n + 1)/2$.

La démonstration est généralement donnée ainsi :
Si $S$ est la somme $1 + 2 + ... + n$, alors :

$$S = 1 + 2 + ... + (n - 1) + n$$
$$+ S = n + (n - 1) + ... + 2 + 1$$
$$\overline{2S = (n + 1) + (n + 1) + ... + (n + 1) + (n + 1)} \ [n \text{ fois}]$$

Donc $2S = n(n + 1)$, et ainsi $S = n(n + 1)/2$

On attribue cette histoire au mathématicien Carl Friedrich Gauss. Shéhérazade nous propose quant à elle un raisonnement totalement différent (apparemment complètement inconnu à cette époque), intéressant et assez subtil. Nous l'examinerons après le problème suivant.

☆ 73 ☆

Ali a mille possibilités de choisir un nombre et, pour chacun de ses choix, Ahmed aura à son tour mille possibilités de choisir un nombre : il y a donc un million de possibilités pour les deux nombres. Dans combien de combinaisons le nombre choisi par Ahmed est-il plus grand que celui choisi par Ali ? Il existe deux façons différentes de le déterminer, et la concordance des résultats entraînant d'ailleurs une intéressante conséquence théorique, ainsi que nous le verrons. Dans le premier cas, nous raisonnons comme suit : si le nombre d'Ali est 1, cela nous laisse 999 possibilités pour le nombre d'Ahmed. Si le nombre d'Ali est 2, il y a alors 998 possibilités, et ainsi de suite, jusqu'à ce que l'on choisisse le nombre 999 pour Ali. Dans ce dernier cas, il n'y a qu'une possibilité pour que le nombre choisi par Ahmed lui soit supérieur. Ainsi, le total des possiblités se calcule en ajoutant $1 + 2 + \ldots + 999$, qui, par la formule du problème précédent, est égal à $999 \times 1\,000/2$.

Voici une façon plus simple d'y parvenir, qui n'utilise pas la formule précédente : les deux nombres peuvent être semblables dans 1 000 cas. Il y a donc 1 million moins mille combinaisons pour qu'ils soient différents, et ce nombre est égal à 990 000. Comme dans la moitié des cas, le nombre d'Ahmed sera plus grand, nous retrouvons la réponse 990 000/2.

☆ 74 ☆

Dans le problème précédent, on peut trouver le nombre de combinaisons dans lesquelles le nombre choisi par d'Ahmed est plus grand que celui choisi par Ali, selon une première méthode, en ajoutant $1 + 2 + \ldots + 999$. Selon une seconde méthode, ce nombre peut également s'obtenir par l'opération $999 \times 1\,000/2$. C'est en fait une autre manière de trouver que les deux nombres sont…égaux !

Cette méthode peut évidemment être généralisée à tout $n$ positif : étant donné deux nombres $x$ et $y$, tous deux compris entre 1 et $n$, combien y a-t-il de combinaisons dans lesquelles $y$ est plus grand que $x$ ? En utilisant la première méthode, nous voyons que si $x = 1$, il y a $n - 1$ possibilités pour $y$ ; si $x = 2$, il y a $n - 2$ possibilités, etc. ; si $x = n - 2$, il y a 2 possibilités pour $y$ ; et si $x = n - 1$, il y a juste 1 possibilité pour $y$. Ainsi, le nombre total de possibilités est égal à $1 + 2 + \ldots + n - 1$. Par la seconde méthode, il y a $n^2$ possibilités pour les deux nombres $x$ et $y$, et dans $n$ cas les nombres sont égaux. Ce qui veut dire que dans $n^2 - n$ cas, les nombres sont différents et que dans la moitié de ces cas, $y$ est plus grand que $x$. Donc le nombre de combinaisons dans lesquelles $y$ est plus grand que $x$ est égal à $n^2 - n/2$, ce qui est égal à $(n-1)\, n/2$. Ceci prouve que pour tout nombre $n$, $1 + 2 + \dots + n - 1 = (n-1)\, n/2$ ou, ce qui revient au même, pour tout nombre $n$, $1 + 2 + \dots + n = n(n + 1)/2$.

Ainsi Shéhérazade démontrait-elle la célèbre formule.

## ☆ 75 ☆

On nous dit que les déclarations sont soit toutes les deux vraies, soit toutes les deux fausses. Puisqu'ici il est évident qu'elles ne peuvent être toutes les deux vraies, elles sont donc fausses. Seul Perviz est marié.

## ☆ 76 ☆

Si les deux affirmations sont vraies, Perviz et Bahman sont tous deux célibataires. Si elles sont fausses, Perviz est marié, pas Bahman. Si, dans tous les cas, ce dernier est célibataire, il est en revanche impossible de dire si Perviz est marié ou non.

## ☆ 77 ☆

Bahman a dit qu'au moins l'un des deux était marié. Supposons que Perviz ait dit qu'il était marié. Les deux affirmations auraient alors pu être soit vraies soit fausses et le sage n'aurait eu aucun moyen de connaître la solution. Or nous savons qu'il détenait la solution. Perviz a donc dit qu'il n'était pas marié. Ne pouvant être toutes les deux fausses, les affirmations étaient donc vraies : Bahman est marié alors que Perviz ne l'est pas.

## ☆ 78 ☆

Voici un autre métapuzzle : si l'accusé avait répondu *oui*, il aurait été évident qu'il était aharmanite, mais il aurait été impossible de déterminer s'il avait ou non volé le chameau. Or Omar avait réussi à déterminer cette inconnue. L'accusé a donc répondu *non*. Supposons qu'il soit mazdéen. Dans ce cas, comme il l'a dit, il a véritablement affirmé une fois ne jamais avoir volé le chameau, et, étant mazdéen, il est innocent de ce crime. Supposons maintenant qu'il soit aharmanite. Dans ce cas, ses deux réponses sont des mensonges, ce qui signifie qu'il n'a jamais affirmé ne jamais avoir volé le chameau. En fait, il a affirmé qu'il avait volé le chameau, ce qui est un mensonge, vu qu'il est aharmanite : il ne l'a pas volé. Ainsi, qu'il soit mazdéen ou aharmanite, il est innocent de ce crime. (Il est impossible de déterminer s'il est mazdéen ou aharmanite.)

☆ **79** ☆

C'est apparemment un Aharmanite, puisque aucun Mazdéen n'aurait menti en disant qu'ils étaient tous trois aharmanites. Donc *C* est aharmanite et puisqu'il a menti, il y a au moins un Mazdéen parmi les deux autres.

B n'est certainement pas le crieur public, car un crieur public mazdéen ne mentirait pas en disant que le crieur public est aharmanite et un crieur public aharmanite n'irait pas honnêtement affirmer que le crieur public est aharmanite. *B* n'est donc pas le crieur public.

Si *A* est mazdéen, son affirmation est vraie, il n'est donc pas le crieur public. Comme *B* ne l'est pas non plus, le crieur ne peut être que *C* qui est aharmanite. Si *A* est mazdéen, le crieur public est donc aharmanite, mais si *A* est aharmanite, il a menti, il est donc le crieur public, et nous avons à nouveau un crieur public aharmanite.

En résumé, le crieur public est *A* ou *C* et il est aharmanite.

☆ **80** ☆

Nous avons précédemment vu que *C* était aharmanite. Donc *A* dit vrai, ce qui implique qu'il est mazdéen. C'est donc bien *C* le crieur public.

### ☆ 81 ☆

$C$ étant d'accord avec $B$, tous deux sont du même type (soit mazdéens soit aharmanites). Si $B$ était mazdéen, $C$ le serait aussi, ce qui viendrait contredire l'affirmation de $B$. Comme il est impossible qu'un Mazdéen mente, $B$ est aharmanite, tout comme $C$, et l'affirmation de $A$ est fausse.

Tous trois sont donc aharmanites.

### ☆ 82 ☆

Étant donné qu'au moins une des dix déclarations est vraie, il y a donc au moins neuf Aharmanites parmi les personnes interrogées. Si $A_{10}$ était mazdéen, nous aurions une contradiction. Sa déclaration est donc fausse, ce qui signifie qu'au moins un des dix est mazdéen. Par conséquent, neuf (et exactement neuf) personnes sont aharmanites, et $A_9$ a dit la vérité.

Celui-ci est donc mazdéen et tous les autres aharmanites.

### ☆ 83 ☆

« L'éléphant a été volé par un Aharmanite » pourrait convenir. S'il est mazdéen, il n'est pas coupable, puisque l'éléphant a été volé par un Aharmanite, et s'il est Aharmanite, il est également innocent puisque dans ce cas c'est un Mazdéen qui a volé l'éléphant. Donc, il est innocent, mais pourrait être aussi bien mazdéen qu'aharmanite.

### ☆ 84 ☆

Une réponse possible serait : « Je ne suis pas un Mazdéen qui a volé l'éléphant. » S'il était aharmanite, il ne serait évidemment pas un Mazdéen qui a volé l'éléphant (n'étant tout simplement pas mazdéen). Cet Aharmanite aurait alors dit la vérité… ce qui est impossible. Il ne peut donc être que mazdéen.

Il dit donc la vérité et n'a jamais volé l'éléphant.

☆ **85** ☆

Il a pu dire : « Je suis un Aharmanite qui a volé l'éléphant. » Je laisse au lecteur le soin de faire la démonstration.

☆ **86** ☆

Personne dans cette ville ne peut se dire aharmanite (un Mazdéen ne le fera certainement pas, et un Aharmanite ne le reconnaîtra jamais honnêtement). Par conséquent, personne ne déclarera adorer le même dieu qu'un Aharmanite, bien au contraire : tout le monde affirmera adorer le même dieu qu'un Mazdéen. C'est pourquoi Shirin répondra *oui* si Kushran est mazdéen, et *non* s'il est aharmanite. Une réponse affirmative de Shirin impliquerait que Kushran est mazdéen et qu'il est par conséquent innocent (puisqu'il affirme l'être) et Omar ne pourrait pas prononcer de condamnation.
Shirin a donc répondu *non* pour qu'Omar sache que Kushran était aharmanite, donc coupable.

☆ **87** ☆

Ceci est un bon métapuzzle et je laisse Shéhérazade donner la solution :
« Je vous montrerai d'abord, Ô Noble Souverain, que sur la base des trois dépositions faites avant qu'Omar ne pose sa question, si $C$ est aharmanite, il est le propriétaire de l'éléphant, et s'il est mazdéen, c'est $B$ le propriétaire.
— Pourquoi donc ?, demanda le roi.
— Je m'explique : supposons que $C$ soit aharmanite. Sa déposition est alors fausse, ce qui implique qu'il n'y a pas au moins deux Aharmanites parmi eux, que $A$ et $B$ sont tous deux mazdéens et que leurs dépositions sont vraies. Et donc, selon la déposition de $A$, $C$ est le propriétaire de l'éléphant. Supposons maintenant que $C$ soit mazdéen. Il a alors dit la vérité. $A$ et $B$ sont donc aharmanites, et comme $B$ a menti, c'est lui le propriétaire de l'animal.
— Bravo ! dit le roi.

– Voilà tout ce que l'on pouvait déduire avant la question d'Omar. *C* nomme ensuite le propriétaire de l'éléphant. Son identité nous est encore inconnue, mais Omar la connaît. *C* est soit mazdéen, soit aharmanite. S'il est mazdéen, *B* est le propriétaire de l'éléphant, puisque, comme que je l'ai montré, *C*, qui serait honnête, désignerait *B*. Si *C* est mazdéen, il a donc désigné *B*. Mais supposons que C soit aharmanite. Comme je l'ai montré, il serait le propriétaire de l'éléphant. Si *C* est aharmanite, il ment forcément et a donc désigné *A* ou *B*. Dans tous les cas, qu'il soit mazdéen ou aharmanite, il a désigné *A* ou *B*.

– Jusque-là, tout va bien, dit le roi.

– Supposons maintenant qu'il ait nommé *B*. Il se pourrait que *C* soit mazdéen et *B* propriétaire de l'éléphant, ou que *C* soit aharmanite et propriétaire de l'éléphant, mais Omar n'aurait aucun moyen de connaître la bonne solution. Par ailleurs, si *C* avait désigné *A*, il serait aharmanite (nous avons vu que, mazdéen, il aurait désigné *B*) et donc propriétaire de l'éléphant. Comme Omar savait que *C* était le propriétaire de l'éléphant, ce dernier a forcément désigné *A*. »

☆ 88 ☆

On pourrait dire : « Je suis mazdéen et il est aharmanite. »

Si l'auteur de la phrase a dit la vérité, alors l'autre est aharmanite et, dans ce cas, au moins l'un d'entre eux est aharmanite.

S'il a menti, il est lui-même aharmanite, et à nouveau au moins l'un des deux est aharmanite.

Si c'est un mensonge, l'autre peut être des deux types, sans qu'il soit possible de déterminer lequel.

Il est donc impossible de dire si un seul ou les deux sont aharmanites. S'il n'y a qu'un Aharmanite, il est tout aussi impossible de déterminer lequel.

On peut juste affirmer qu'ils ne sont pas tous deux mazdéens.

☆ 89 ☆

Il pourrait dire : « Soit je suis mazdéen, soit il est aharmanite. » S'il est mazdéen, au moins l'un des deux est mazdéen (l'autre pouvant être indifféremment mazdéen ou aharmanite). Supposons maintenant qu'il soit aharmanite. Si l'autre est également aharmanite, *ou bien* celui qui parle est mazdéen *ou bien* l'autre est aharmanite. Mais comme les Aharmanites sont des menteurs,  s'il est aharmanite, l'autre est forcément  mazdéen. Dans tous les cas, l'un d'eux au moins est mazdéen.

☆ 90 ☆

Une phrase qui, de toute évidence, conviendrait est : « C'est un Aharmanite. »

☆ 91 ☆

Si Al-Maamun ment, Ubay est un voleur aharmanite donc un Aharmanite.
Si Al-Maamun dit la vérité, Ubay est aharmanite puisque au moins l'un d'eux est aharmanite. Ubay ne peut donc être qu'aharmanite.
Par conséquent il ment, ce qui signifie qu'Al-Maamun est un Mazdéen qui n'a jamais commis de vol. Puisque Al-Maamun est mazdéen, ce qu'il dit est vrai : Ubay est donc un Aharmanite qui n'a jamais commis de vol.
En définitive, aucun des deux n'a jamais commis de vol.

☆ 92 ☆

Une phrase qui conviendrait serait : « Je suis un Aharmanite qui n'a jamais commis de vol. »
Évidemment, aucun Mazdéen ne tiendrait un tel propos : il s'agit forcément d'un Aharmanite. S'il n'avait jamais commis de vol, il serait bien un Aharmanite qui n'a jamais volé. Or c'est impossible puisque les Aharmanites ne disent jamais la vérité.
Donc, il doit avoir commis un vol

### ☆ 93 ☆

Il pourrait dire : « Je ne suis pas un Mazdéen qui a commis l'adultère. » Un Aharmanite ne pourrait pas prononcer ce genre de phrase, étant donné qu'un Aharmanite n'est *réellement pas* un Mazdéen qui a commis l'adultère. Par conséquent, seul un Mazdéen peut parler ainsi, ce qu'il affirme est donc vrai, et il n'a jamais commis d'adultère.

### ☆ 94 ☆

Si l'accusé avait répondu « Mazda », Omar aurait été dans l'incapacité de dire s'il était ou non coupable, car il aurait indifféremment pu être un Mazdéen innocent, un Mazdéen coupable, un Aharmanite innocent ou un Aharmanite coupable. Pour qu'Omar puisse le dire, l'accusé a forcément répondu «Aharmanite ». Omar a ensuite calculé que si l'accusé était mazdéen, le voleur serait aharmanite, mais que si l'accusé était aharmanite, sa réponse (un mensonge) signifierait que le voleur est mazdéen. L'accusé serait une nouvelle fois innocenté. Dans les deux cas, il est donc non coupable, sans que l'on puisse déterminer s'il est mazdéen ou aharmanite.

### ☆ 95 ☆

Si Safie dit la vérité, Zabeide affirmerait être la mère, mais mentirait (puisqu'elle serait alors une Aharmanite), et ne serait donc pas la mère. Si Safie ment, Zabeide, loin d'affirmer être la mère, soutiendrait au contraire qu'elle ne l'est pas. Étant honnête, elle ne serait pas la mère. Par conséquent, que c'est Safie la mère, qu'elle dise ou non la vérité.

### ☆ 96 ☆

« Je suis une femme. »

### ☆ 97 ☆

« Je suis soit une Mazdéenne soit un Aharmanite. »

☆ 98 ☆

« Je ne suis pas un Mazdéen. »

☆ 99 ☆

« Je suis un Aharmanite. »

☆ 100 ☆

Ayyib et Isa ayant fait des dépositions incompatibles, ils ne pouvaient donc être tous deux mazdéens. Si, en prétendant qu'ils étaient tous les trois du même type, Nowas avait dit vrai, il aurait fait d'Ayyib et d'Isa deux Mazdéens… et aurait déclaré quelque chose d'impossible. Il était donc aharmanite. Tous les trois n'étaient donc pas du même type : soit Ayyib soit Isa était mazdéen. Le traître était donc soit Isa (comme l'affirme Ayyib), soit Nowas (comme le soutient Isa). Dans les deux cas, Ayyib ne pouvait pas être le traître.

Il fut donc autorisé à partir. Le juge, demandant ensuite à Nowas ou Isa, s'ils vénéraient le même dieu, obtint une réponse positive. Avait-il interrogé Isa ? Non, parce que nous savons déjà que Nowas est aharmanite et qu'aucun Mazdéen ni aucun Aharmanite ne se réclamerait de la même religion qu'un Aharmanite ! C'est Nowas qui a été interrogé. Il a donc menti en répondant *oui*. Ainsi, Isa et lui sont réellement de types différents, et Isa est un Mazdéen. Il disait donc vrai en affirmant que Nowas était le traître !

☆ 101 ☆

Voici la réponse de la bouche même de Shéhérazade.

« Tout d'abord, je vous montrerai, Ô Puissant Souverain, qu'il est impossible que $E$ et $F$ vénèrent le même dieu, et que par conséquent $G$ ment.

Supposons que $E$ soit honnête. Alors $C$ et $D$ sont tous les deux honnêtes comme l'affirme $E$. Dans ce cas, $A$ et $B$ mentent, tout comme $F$. Ainsi, si $E$ est honnête, $F$ ment.

Supposons maintenant que *E* mente. *C* et *D* ne sont alors pas tous les deux dignes de foi, tandis qu'*A* et *B* ne mentent pas tous les deux, et que *F* est honnête. Donc, si *E* ment, *F* est honnête. Comme j'ai montré que si *E* était honnête, *F* mentait, nous pouvons dire que *E* et *F* vénèrent des dieux différents, et prouver par la même occasion que *G* vénère Aharman.

Maintenant que nous savons que *G* ment, considérons l'affirmation de *H*. Étant donné qu'un homme honnête ne pourra jamais dire qu'il vénère le même dieu que *G*, *H* est donc certainement un menteur. Il vénère donc le même dieu que *G* et la première partie de sa déclaration est vraie. Si la seconde partie (les deux accusés sont coupables) l'était également, sa déclaration tout entière serait vraie. *H* étant un menteur, c'est rigoureusement impossible. La seconde partie de sa déclaration est fausse et les deux accusés sont donc coupables. »

### ☆ 102 ☆

Tout nombre de trois chiffres est ce que Shéhérazade qualifie malicieusement de magique, car écrire un tel nombre suivi de lui-même revient à le multiplier par 1 001. Il se trouve que 1 001 = 7 × 11 × 13, donc la division de notre nombre répété par 7, 11 et 13 revient à le diviser par 1001, ce qui nous redonne le nombre de départ.

### ☆ 103 ☆

*Première méthode* : Faites partir les deux sabliers en même temps. Lorsque celui de sept minutes est fini, mettez l'œuf dans l'eau bouillante. Quatre minutes plus tard, lorsque le sablier de onze minutes se termine, retournez-le. Quand il arrivera pour la seconde fois à sa fin, l'œuf aura cuit pendant quinze minutes.

*Seconde méthode* : En utilisant la méthode ci-dessus, il faut attendre vingt-deux minutes avant de pouvoir manger l'œuf. On peut parvenir au même résultat en quinze minutes seulement en suivant une procédure plus compliquée : plongez l'œuf dans l'eau, tout en démarrant simultanément les deux sabliers. Lorsque celui de sept minutes arrive à sa fin, retournez-le. Quand celui de onze minutes se finit, il reste encore quatre minutes de sable dans le fond de l'autre sablier. Retournez celui-ci : quand il arrivera à sa fin, quinze minutes se seront écoulées au total.

☆ 104 ☆

Il existe à nouveau deux méthodes ; la première est à la fois plus simple et plus courte, et ce sera la seule que nous donnerons. Déposez l'œuf dans l'eau et démarrez les deux sabliers. Quand celui de quatre minutes arrive à sa fin, retournez-le. Quand celui de sept minutes se termine, retournez-le. Une minute plus tard, celui de quatre minutes arrive à sa fin ; huit minutes se seront alors écoulées et il restera six minutes de sable au sommet du sablier de sept minutes et une minute au fond. Renversez alors ce sablier : une minute plus tard, il arrivera à sa fin et l'œuf aura cuit durant neuf minutes.

☆ 105 ☆

Le noir a un avantage incontestable, car il peut éviter l'échec indéfiniment. Il lui suffit pour cela de se déplacer en restant hors d'une case d'angle, et de se placer à chaque mouvement sur une case qui ne soit pas de la couleur de celle où se trouve le cavalier à ce moment-là. Au mouvement suivant, le cavalier sera sur une case de la même couleur que celle du roi : il ne pourra donc pas le mettre échec.

☆ 106 ☆

On pourrait dire : « Tu ne me donneras ni la pièce en cuivre, ni celle en argent. » Si l'une de ces pièces était donnée, l'affirmation deviendrait fausse, mais dans ce cas aucune pièce ne devrait être donnée. Mais si l'on ne donnait pas de pièce du tout, l'affirmation deviendrait vraie et elle mériterait qu'on donne une pièce, donc cette possibilité est exclue. On ne peut donc que donner la pièce en or.

## ☆ 107 ☆

Beaucoup de gens sont très surpris de voir que la décimale infinie 0,99999… est *exactement* égale à 1. Ceci peut être démontré de différentes manières.

Tout le monde sait que la fraction 1/3 est la décimale infinie 0,33333…. Si nous multiplions par 3, nous obtenons 0,99999… et trois fois 1/3 est égal à 1.

On utilise davantage le calcul suivant : Si $x = 0,9999…$, en multipliant les deux membres de l'équation par 10, nous obtenons $10x = 9,9999… = 9 + 0,9999… = 9 + x$ ! Donc, $10x = 9 + x$, et ainsi $9x = 9$, donc $x = 1$.

La même méthode est bien sûr valable pour tout autre chiffre que 9. Prenons par exemple, $x = 0,2222…$ Alors $10x = 2,2222… = 2 + 0,2222… = 2 + x$, donc $9x = 2$, et $x = 2/9$. La valeur de la décimale infinie est donc de deux neuvièmes (une donnée qui nous servira dans le problème suivant). De la même façon, pour tout chiffre $c$ de 1 à 9, la décimale infinie $0,cccc…$ sera $c/9$. (Pour $c = 3$, nous aurons $0,333… = 3/9$, soit le tiers couramment employé.)

Les remarques suivantes devraient atténuer le choc que certains d'entre vous avez peut-être subi : Il est entendu que si vous coupez la décimale infinie 0,999… à quelque endroit du nombre que ce soit, le résultat sera inférieur à 1. La décimale 0,999… développée un million de fois sera toujours donc inférieure à 1.

Si vous poussez jusqu'à un milliard, vous vous rapprocherez de 1, sans toutefois l'atteindre. Plus vous pousserez loin et plus vous vous rapprocherez de 1, mais quel que soit le nombre jusqu'auquel vous poussiez, le résultat sera toujours inférieur à 1. Maintenant, qu'entend-on par la décimale infinie 0,999… ? C'est la *limite approchée* par la séquence infinie 0,9 0,99 0,999 0,9999 et ainsi de suite. Et cette limite est exactement 1. C'est tout ce que l'on veut dire quand on pose 0,9999… égale 1.

☆ 108 ☆

Oublions pour l'instant le premier bond de 180 pieds et essayons de calculer la distance parcourue après que la balle a touché le sol la première fois.

Le premier aller et retour est égal à 2/10 de 180, le suivant à 2/100 de 180, le suivant à 2/1 000 de 180 et ainsi de suite. Il faut donc calculer la somme de la série infinie 2/10 + 2/100 + 2/1 000 + ..., qui est tout simplement la décimale infinie 0,2222..., qui, comme nous l'avons vu dans le problème précédent, est égale à 2/9. Ainsi, après avoir touché le sol une première fois, la balle a parcouru 2/9 de 180 pieds, c'est-à-dire 40 pieds. La distance totale est donc de 180 + 40, c'est-à-dire de 220 pieds.

Nous considérons bien sûr une situation mathématique idéale. Il est évident que dans la réalité, cette balle ne rebondirait pas un nombre infini de fois avant de s'arrêter ! Elle rebondirait probablement 10 à 12 fois et la distance parcourue serait alors très légèrement inférieure à 220 pieds.

☆ 109 ☆

La méthode la plus connue est la suivante : En admettant qu'il y ait par exemple vingt personnes, une personne prend ce qu'elle considère correspondre au vingtième du butin. Si tous les autres s'accordent à dire qu'il n'a pas pris plus d'un vingtième, il peut partir avec sa part, mais si l'un d'eux pense que la première personne a pris plus d'un vingtième, cette part lui sera confiée avec pour mission de remettre dans le butin tout ce qu'il faudra pour qu'elle – la deuxième personne – estime avoir un vingtième du total. S'il n'y a pas d'autre objection, elle pourra partir avec cette part rognée ; dans le cas contraire, cette part sera à nouveau confiée à une troisième personne pour que celle-ci enlève ce qu'il faudra pour que ce qu'il reste soit égal, selon *elle,* au vingtième du butin, et ainsi de suite. Arrivera un moment où une personne détiendra ce qu'elle considère correspondre à un vingtième du butin sans que plus personne n'objecte le contraire.

Cette personne pourra alors emporter sa part en toute tranquillité. Restent alors dix-neuf personnes concernées par le partage du reste du butin. Elles suivront le même processus que précédemment (avec un dix-neuvième au lieu d'un vingtième), réduisant le problème à dix-huit personnes et ainsi de suite jusqu'à la dernière personne. La seconde méthode (d'après moi moins connue) est la suivante : En premier lieu, deux personnes partagent le butin en deux parts que chacun considère comme équitables (en suivant la méthode éprouvée du partage en deux parts égales soumise au choix de celui qui n'a pas opéré le partage). Ensuite, ces deux personnes divisent chacune leur lot en ce qu'elles considèrent comme trois parts égales, et une troisième personne du groupe choisit, dans le lot de la première, le tiers de son choix, et fait de même dans le lot de la seconde. Chacune des trois possède donc ce qu'elle considère comme correspondant au moins au tiers du butin. Ensuite, chacune partage son lot en ce qu'elle estime être quatre parts égales et une quatrième personne vient choisir une part chez chacune. Nous avons alors quatre personnes estimant chacune posséder au moins un quart du butin. Ce processus se poursuit jusqu'à ce que la vingtième personne choisisse ce qu'elle considère correspondre au moins au vingtième du butin chez chacune des dix-neuf autres personnes.

☆ 110 ☆

L'illusion est la suivante : Considérons l'affirmation « Si la boîte B est vide, il y a une chance sur deux pour que la pièce soit dans la boîte A. » Bien que, sur un plan grammatical, nous ayons affaire à une forme *si/alors*, il s'agit en fait d'une *probabilité conditionnelle* qui signifie simplement que parmi tous les cas où la boîte B est vide, pour la moitié d'entre eux, la pièce sera dans la boîte A... ce qui est une évidence, et de même, dans la moitié des cas où la boîte C est vide, la pièce sera dans la boîte A. Ces deux affirmations ne sont absolument pas incompatibles.

### ☆ 111 ☆

Il est impossible qu'une seule étiquette soit inexacte, car si deux sont justes, la troisième doit l'être aussi.

### ☆ 112 ☆

On peut y parvenir en n'ouvrant qu'un seul tiroir! Ouvrez un tiroir dans la commode marquée *E R*. Supposons que vous y trouviez une émeraude. Comme vous savez que l'étiquette est inexacte, cette commode doit donc contenir deux émeraudes. Alors, celle étiquetée *R R* ne peut pas contenir deux rubis (puisque l'étiquette est inexacte), ni deux émeraudes (puisque la commode que vous avez choisie en contient déjà deux), elle contiendra donc une émeraude et un rubis, et la commode marquée *E E* contiendra les deux rubis.

Bien entendu, si vous avez trouvé un rubis dans la commode marquée *E R*, le raisonnement sera symétrique, c'est-à-dire que la commode *E E* contiendra un rubis et une émeraude et celle marquée *R R* deux émeraudes.

### ☆ 113 ☆

Je démontrerai que si le troisième homme savait ce qu'il avait, il y aurait deux solutions possibles ; alors que s'il ne le savait pas, il n'y en aurait qu'une. Ainsi, la seule façon d'obtenir la solution en apprenant ce que le troisième homme a dit c'est d'apprendre que ce troisième homme a dit qu'il ne savait pas.

Voici pour les détails : Puisque le premier homme a trouvé deux émeraudes et sait ce qu'il a dans sa commode, ou bien il a vu l'étiquette *E E E* et compris qu'il a en fait *E E R*, ou alors il a vu *E E R* et compris qu'il a *E E E*.

Étant donné que le deuxième homme a trouvé une émeraude et un rubis et qu'il sait ce qu'il a, ou bien il a vu l'étiquette *E E R* et sait qu'il a en fait *E R R*, ou alors il a vu *E R R* et sait qu'il a *E E R*.

Le troisième homme a trouvé deux rubis. Nous avons alors deux possibilités. Dans un premier cas, il sait ce qu'il a, donc ou bien il voit *E R R* et a *R R R*, ou alors il voit $R R R$ et a $E R R$. Dans le second cas, il ne sait pas, et alors, il voit $E E E$ ou $E E R$.

Dans le premier cas, il y a deux solutions possibles. La première est :

Le premier homme a vu $E E E$ et avait $E E R$.

Le deuxième homme a vu $E E R$ et avait $E R R$.

Le troisième homme a vu $E R R$ et avait $R R R$.

Le quatrième homme a vu $R R R$ et avait $E E E$.

La seconde solution est :

Le premier homme a vu $E E R$ et avait $E E E$.

Le deuxième homme a vu $E R R$ et avait $E E R$.

Le troisième homme a vu $R R R$ et avait $E R R$.

Le quatrième homme a vu $E E E$ et avait $R R R$.

Supposons maintenant que le second cas soit le bon. Nous voyons alors qu'il n'existe qu'une solution possible. Supposons que le premier homme ait vu $E E E$ (ce qui, comme nous le verrons, est impossible). Dans ce cas, il posséderait en réalité $E E R$, et le second homme ne pourrait avoir $E E R$ et aurait donc vu $E E R$ en ayant en fait $E R R$. Dans ce cas, le troisième homme ne pourrait pas avoir vu $E E E$ (qui est ce que le premier a vu), ni $E R R$ (qui est ce que le second a vu), ce qui est en contradiction avec le second cas. Ainsi, dans le second cas, le premier homme *n'a pas* vu $E E E$. Il a donc vu $E E R$ et avait en réalité $E E E$. Le second homme n'a, quant à lui, pas vu $E E R$, il a donc vu $E R R$, mais avait en réalité $E E R$. Et le troisième homme n'a pas vu $E E R$ (qui est ce qu'a vu le premier), par conséquent il a vu $E E E$. Restait donc l'étiquette $R R R$ sur la quatrième commode, mais cette étiquette étant fausse, $R R R$ désignait en réalité le contenu de la troisième commode.

Ainsi, la solution c'est que les quatre commodes contenaient, dans l'ordre, $E E E$, $E E R$, $R R R$, $E R R$, et les étiquettes indiquaient, dans l'ordre, $E E R$, $E R R$, $E E E$, $R R R$.

☆ 114 ☆

Voici les seuls triplets, dont le produit soit égal à trente-six (leur somme est indiquée à droite)

| | |
|---|---|
| 1, 1, 36 – 38 | 1, 6, 6 – 13 |
| 1, 2, 18 – 21 | 2, 2, 9 – 13 |
| 1, 3, 12 – 16 | 2, 3, 6 – 11 |
| 1, 4, 9 – 14 | 3, 4, 3 – 10 |

1, 1, 6 et 2, 2, 9 sont les deux seuls triplets à avoir une somme identique, c'est-à-dire treize. Si l'âge d'Iskandar avait été différent de treize, il aurait su quel était le bon triplet en apprenant quelle était la somme (nous partons bien sûr du principe qu'il connaissait son propre âge). Mais il ne le savait pas ; son âge devait donc être de treize ans, et il avait alors le choix entre les triplets 1, 6, 6 et 2, 2, 9 sans pouvoir les départager. Lorsqu'il apprit que l'aîné avait au moins un an de plus que les deux autres, il élimina 1, 6, 6 et sut enfin que le fils avait neuf ans et ses sœurs chacune deux ans.

### ☆ 115 ☆

Voici les propres mots de Shéhérazade :

« Il est exact, Votre Majesté, que je ne vous ai pas informé de ce qu'Ayn Zar et Bulikaya ont dit, mais je vous démontrerai d'abord que si Ayn Zar avait répondu *non*, Omar aurait su ce que Bulikaya était, sans avoir à poser une seconde question. Supposons donc qu'Ayn Zar ait répondu *non* : ce faisant, il aurait affirmé qu'ils étaient tous deux aharmanites, ce qui est possible, mais uniquement s'il est aharmanite et Bulikaya mazdéen. Ainsi, si Ayn Zar avait répondu *non*, Omar aurait conclu que Bulikaya était mazdéen et n'aurait pas eu à lui poser une seconde question. Comme Omar a posé une seconde question, Ayn Zar a nécessairement répondu *oui*. Ici, tout ce qu'Omar savait était qu'il ne s'agissait pas du cas où Ayn Zar était aharmanite et Bulikaya mazdéen. Il savait donc qu'une trois des possibilités suivantes était la bonne :

1er cas : Ayn Zar est un Mazdéen et Bulikaya un Aharmanite.

2e cas : Ayn Zar est un Mazdéen et Bulikaya un Mazdéen.

3e cas : Tous deux sont Aharmanites.

Ensuite, Omar demanda à Bulikaya si Ayn Zar avait dit la vérité, en d'autres termes si Ayn Zar était mazdéen. Si le premier cas est le bon, Bulikaya doit répondre *non*. Dans les deux autres cas, il doit répondre *oui*. Si Bulikaya avait répondu *oui*, Omar n'aurait donc toujours pas su s'il s'agissait du deuxième ou du troisième cas, et il aurait continué à ignorer ce que Bulikaya était. Comme Omar le savait, Bulikaya a forcément répondu *non* : Omar savait donc que le premier cas était le bon et que Bulikaya était aharmanite. »

## ☆ 116 ☆

La clé pour toutes ces épreuves consiste à trouver un nombre $k$ tel que pour tout nombre $x$, le nombre $k1x2$ ait pour réponse $x1x2$. Prenant alors pour $x$ le nombre $k$, nous voyons que $k1k2$ a pour réponse $k1k2$... exactement le même nombre! En trouvant un tel nombre, le prétendant réussit donc la première épreuve. Nous verrons qu'un tel nombre $k$ a également d'autres utilisations. Nous appellerons ce nombre un nombre clé. Le problème est maintenant de trouver un nombre clé. 475364 en est un. Pour l'expliquer, il sera commode de noter l'inverse d'un nombre $x$ par le symbole $x\leftarrow$. Supposons un nombre quelconque $x$. Nous pouvons progressivement en déduire les faits suivants

1. $1x2$ a pour réponse $x$.
2. Donc, $41x2$ a pour réponse $x\leftarrow$.
3. Donc, $641x2$ a pour réponse $1x\leftarrow$.
4. Donc, $3641x2$ a pour réponse $1x\leftarrow 1x\leftarrow$.
5. Donc, $53641x2$ a pour réponse $x\leftarrow 1x\leftarrow$.
6. Donc, $753641x2$ a pour réponse $2x\leftarrow 1x\leftarrow$.
7. Donc, $4753641x2$ a pour réponse $x1x2$ (l'inverse de $2x\leftarrow 1x\leftarrow$).

Ainsi, 475364 est un nombre clé et, comme le lecteur peut le vérifier, 47436414753642 est un nombre qui aura pour réponse lui-même.
Il existe en fait une quantité infinie de nombres clés, car si $k$ est un nombre clé, $44k$ l'est également, comme $4444k$, et tout nombre en 4 suivi de $k$ (en général, si un

nombre $x$ a pour réponse $y$, il en sera de même pour $44x$, puisque l'inverse de l'inverse de $y$ est $y$ lui-même).

## ☆ 117 ☆

Pour tout nombre clé $k$, le nombre $3k13k2$ aura pour réponse sa propre répétition, parce que $k13k2$ a pour réponse $3k13k2$, et du coup $3k13k2$ a pour réponse la répétition de $3k13k2$.

En particulier, si l'on prend $k = 475364$, le nombre $3475364134753642$ a pour réponse sa répétition.

## ☆ 118 ☆

Pour tout nombre clé $k$, le nombre $4k14k2$ a pour réponse son propre inverse (puisque $k14k2$ a pour réponse $4k14k2$). En prenant $k = 475364$, nous obtenons la solution $4475364144753642$, qui comporte seize chiffres. Nous pouvons cependant supprimer les deux 4 doublés, ce qui nous donne $753641753642$, qui est une solution plus courte (douze chiffres) et que le lecteur peut vérifier directement, à moins qu'il ne préfère la démonstration suivante :

En construisant un nombre clé, nous avons vu que le nombre $75364$ possède la propriété que pour tout $x$, $753641x2$ a pour réponse $2x\leftarrow 1x\leftarrow$. Et, pour tout nombre $n$ possédant cette propriété, $n1n2$ aura pour réponse $2n\leftarrow 1n\leftarrow$ (l'inverse de $n1n2$).

## ☆ 119 ☆

On déduit facilement des règles que $536$ a pour propriété que pour tout nombre $x$, le nombre $5361x2$ a pour réponse $x1x$. En particulier, si on prend $536$ pour $x$, $53615362$ aura pour réponse $5361536$.

## ☆ 120 ☆

Il nous faut ici un nombre $y$ qui ait pour réponse $1y2$. Comme $1y2$ aura ensuite également $y$ pour réponse, cela veut dire que le prétendant peut envoyer indifféremment

*y* ou 1*y*2 et donc recevoir l'autre en réponse, qui, retour
né à la princesse, aura le premier pour réponse.
Il y a différentes manières de trouver un tel nombre *y*. En
voici une : Nous avons vu, dans l'étape 6 de la construction d'un nombre clé, que pour tout nombre *x*, le
nombre 753641*x*2 a pour réponse 2*x*← 1*x*←*x*; ainsi,
7753641*x*2 a pour réponse 22*x*← 1*x*←, et 47753641*x*2
a pour réponse *x*1*x*22, et donc 647753641*x*2 aura pour
réponse 1*x*1*x*22. Pour simplifier, posons *b* = 64775364.
Pour tout *x*, *b*1*x*2 a pour réponse 1*x*1*x*22, et en particulier, *b*1*b*2 a pour réponse 1*b*1*b*22, et donc si nous prenons *y* pour *b*1*b*2, *y* a pour réponse 1*y*2. Nous pouvons
donc prendre 647753641647753642 pour *y*. Et le prétendant peut envoyer indifféremment cet *y* ou 1*y*2.

## ☆ 121 ☆

Nous cherchons un nombre *n* qui aura pour réponse
41*n*2, qui à son tour aura pour réponse l'inverse de *n*.
Soit *c* le nombre 4775364. Il a la propriété que, pour
tout nombre *x*, le nombre *c*1*x*2 a pour réponse *x*1*x*22,
comme on peut le vérifier aisément. Il se trouve que le
nombre *b* du problème précédent était égal à 6*c*. Alors,
si nous prenons 41*c* pour *x*, nous voyons que *c*141*c*2 a
pour réponse 41*c*141*c*22, et si nous prenons *n* pour
*c*141*c*2, *n* a pour réponse 41*n*2. Comme *c* est le nombre
4775364, notre solution sera 477536414147753642.

## ☆ 122 ☆

L'astuce consiste à trouver un nombre *y* qui ait pour
réponse 2*y*1. Si le prétendant envoie alors 1*y*2, la princesse lui enverra *y*, qu'il lui retournera, et elle lui renverra 2*y*1, lui permettant ainsi de réussir cette épreuve.
Pour trouver un tel nombre *y*, il nous faut un nombre *d*
qui ait pour propriété que pour tout *x*, le nombre *d*1*x*2
a pour réponse 2*x*1*x*21. Alors *d*1*d*2 aura pour réponse
2*d*1*d*21. Prenons donc *y* = *d*1*d*2. Un tel nombre *d*
est 46747536 (comme on peut aisément le vérifier).
Donc nous prenons *y* = 467475361467475362, et le

prétendant devra donc envoyer $1y2$, c'est-à-dire 14674753614674753622.

## 123

Il y a différentes façons de traiter ce problème. L'une d'elles consiste à trouver un nombre $x$ qui ait pour réponse $22x12x11$. Le prétendant inverse ensuite $22x12x11$ et envoie $11x{\leftarrow}21x{\leftarrow}22$ à la princesse. Elle lui renvoie $1\,x{\leftarrow}21x{\leftarrow}22$, qu'il coupe en deux pour lui envoyer $1x{\leftarrow}2$. Elle lui retourne $x{\leftarrow}$ et il a réussi ! Comment trouver un tel $x$ ? Il nous faut d'abord trouver un nombre $n$ ayant pour propriété que pour tout nombre $y$, le nombre $n1y2$ a pour réponse $22y1y212y1y211$. Alors $n1n2$ aura pour réponse $22n1n212n1n211$, et nous prendrons alors $x = n1n2$. Comment obtenir un tel nombre $n$ ? Nous pouvons passer de $y$ à $22y1y212y1y211$ par les étapes suivantes :

>$y$
>$y{\leftarrow}$ (inversion, en utilisant 4)
>$1y{\leftarrow}$ (préfixe 1, en utilisant 6)
>$1y{\leftarrow}1y{\leftarrow}$ (répétition, en utilisant 3)
>$y{\leftarrow}1y{\leftarrow}$ (effacement, en utilisant 5)
>$2y{\leftarrow}1y{\leftarrow}$ (préfixe 2, en utilisant 7)
>$12y{\leftarrow}1y{\leftarrow}$ (préfixe 1, en utilisant 6)
>$212y{\leftarrow}1y{\leftarrow}$ (préfixe 2, en utilisant 7)
>$y1y212$ (inversion, en utilisant 4)
>$y1y212y1y212$ (répétition, en utilisant 3)
>$212y{\leftarrow}1y{\leftarrow}212y{\leftarrow}1y{\leftarrow}$ (inversion, en utilisant 4)
>$12y{\leftarrow}1y{\leftarrow}12y{\leftarrow}1y{\leftarrow}$ (effacement, en utilisant 5)
>$112y{\leftarrow}1y{\leftarrow}212y{\leftarrow}1y{\leftarrow}$ (préfixe 1, en utilisant 6)
>$y1y212y1y211$ (inversion, en utilisant 4)
>$2y1y212y1y211$ (préfixe 2, en utilisant 7)
>$22y1y212y1y211$ (préfixe 2, en utilisant 7)

Donc nous prenons :
$n = 774654347675364$
et $x = 77465434767536417746543476753642$.

☆ 124 ☆

Selon cette version, Shéhérazade demanda :
« Répondrez-vous plutôt *non* à cette question, ou épargnerez-vous ma vie ? »
Ce que Shéhérazade demande ici c'est si au moins l'une des alternatives suivantes tient :

     1. Le roi répondra *non*.
     2. Le roi épargnera sa vie.

Répondre *oui* à cette question revient à affirmer qu'au moins une des deux alternatives (1 ou 2) est bonne. Répondre *non* revient à dire qu'aucune des deux ne tient. Mais si le roi répond *non*, l'alternative 1 sera en fait la bonne, et *non* sera par conséquent une réponse fausse ! Afin de répondre honnêtement, le roi doit répondre *oui*, et donc affirmer que l'une des alternatives est la bonne. Mais en répondant *oui*, l'alternative 1 ne tient pas, ainsi, si la réponse du roi est honnête, c'est l'alternative 2 qui est bonne ! En fait, s'il répond *oui* et n'épargne pas la vie de Shéhérazade, alors il affirme qu'au moins une des alternatives tient, alors qu'au contraire aucune ne tient et sa réponse n'est donc pas honnête.
Le roi ne peut donc que répondre *oui* et lui laisser la vie sauve.
Une autre façon de poser la question serait : « Si vous répondez *oui*, me laisserez-vous alors la vie sauve ? »

☆ 125 ☆

Une bonne question serait : « Répondrez-vous *non* et me prendrez-vous la vie ? »
*Oui* ne pouvant effectivement pas être la bonne réponse (que le roi l'épargne ou non), le roi doit donc répondre *non*. En répondant ainsi, le roi nie que les deux propositions suivantes soient vraies :

     1. Le roi répond *non*.
     2. Le roi lui prend la vie.

En d'autres termes, en répondant *non*, le roi affirme qu'au moins une des propositions (1 ou 2) est fausse, et ce ne peut être la première – puisque le roi a répondu *non* –, mais la seconde.

Donc, le roi affirme que la proposition 2 est fausse, ce qui signifie qu'il devra épargner sa vie! Vu sous un autre angle, si le roi dit *non* et prend sa vie, alors les deux propositions sont vraies, ce qu'il n'aurait pas dû nier en disant *non*.

☆ 126 ☆

Une question qui conviendrait serait : « Répondrez-vous *oui* et épargnerez-vous ma vie, ou répondrez-vous *non* et prendrez-vous ma vie? » Shéhérazade demande si l'une des deux alternatives suivantes est la bonne :

1. Le roi répond *oui* et l'épargne.
2. Le roi répond *non* et lui prend la vie.

Supposons que la réponse soit *oui*. Le roi affirme alors qu'une des alternatives tient, qui ne peut visiblement pas être la seconde, et donc est nécessairement la première. Le roi doit donc épargner sa vie s'il répond *oui*.

Supposons maintenant qu'il réponde *non*. Dans ce cas, il nie les deux alternatives. La seule façon de nier honnêtement la seconde alternative consiste à épargner Shéhérazade (parce que s'il lui prend la vie, il sera alors vrai qu'il a répondu *non* et pris sa vie, et cela n'aurait aucune raison d'être nié)!

Donc le roi a le choix entre répondre *oui* ou *non,* mais dans chaque cas, il doit épargner sa vie.

Une autre façon de poser la question serait : « Répondrez-vous *oui* si, et seulement si, vous épargnez ma vie? »

# TABLE DES MATIÈRES

*Impression réalisée sur CAMERON par*

**BUSSIÈRE**

GROUPE CPI

*à Saint-Amand-Montrond (Cher)*
*pour le compte des Éditions Flammarion*
*en juin 2005*

N° d'édition : FC556411. — N° d'impression : 052315/1.
Dépôt légal : avril 1998.

*Imprimé en France*